D0272004

boem!
(of 70.000 lichtjaren van huis)

Van Mark Haddon verscheen eerder:
Het wonderbaarlijke voorval met de hond in de nacht

boem!

(of 70.000 lichtjaren van huis)

Mark Haddon

De Fontein

www.defonteinkinderboeken.nl

Oorspronkelijke titel: *boom! (or 70,000 light years)*
Verschenen bij David Fickling Books, onderdeel van
Random House Children's Books

Vertaling: Hanneke Majoor
Omslagafbeelding en illustraties: Mark Haddon
Omslagontwerp: Edd, Amsterdam
Grafische verzorging: Zeno

ISBN 978 90 261 2727 4
NUR 283

Dit boek is opgedragen aan mevrouw Williams en haar leerlingen. Dat zijn... Zack, Kiran, George H., George, Kareem, Simon, Michael, Filipp, Alek, Laurence, Tim S., Henry, Fangze, Tim W., Megan, Anna, Lily, Lottie, Lubna, Clara, Charlie, Elsie, Lola en Jessica.

Ik ben ook Anna Johnson heel dankbaar omdat ze de tekst helemaal heeft uitgetypt en op schijf heeft gezet zodat ik hem kon herschrijven.

Voorwoord

Dit boek werd voor het eerst uitgegeven in 1992, met de titel *Gridzbi Spudvetch!* Dat was een belachelijke naam voor een boek. Niemand wist hoe je hem uit moest spreken. En niemand wist wat het betekende, daarvoor moest je eerst het verhaal lezen. Het gevolg was dat maar 23 mensen het boek kochten. Oké, dat is een beetje overdreven, maar niet zoveel. Het boek verdween al snel uit de boekwinkels.

En dat zou zo blijven. Dacht ik. Maar in de jaren die volgden, zocht een hele rits mensen contact met me om te vertellen hoe mooi ze het boek vonden. En mijn uitgever vroeg me wel een paar keer of ik het boek niet wilde updaten, zodat het opnieuw kon worden uitgebracht.

Een update was zeker nodig. Het boek stond vol verwijzingen naar floppydisks en walkmans en cassetterecorders. Maar dat was niet alles. Het verhaal klopte niet op alle punten. En als ik het las, dacht ik op iedere pagina wel een keer: au! Voor een nieuwe uitgave moest ik het boek helemaal herschrijven. Maar herschrijven kost tijd. En ik had niet veel tijd.

Eind 2007 kreeg ik een brief van de Saints Philip & James Primary School (ofwel basisschool Phil & Jim) in Oxford. Alison Williams vertelde dat ze het boek al jaren voorlas aan haar leerlingen en dat die er altijd enorm veel lol aan beleefden. Om haar gelijk te bewijzen, had ze een stapel brieven van haar leerlingen meegestuurd en die waren aardig en grappig en stonden vol complimentjes.

Ik was eindelijk overtuigd. Ik maakte wat tijd vrij en ging opnieuw met *Gridzbi Spudvetch!* aan de slag, gewapend met een scalpel en een rood potlood. Ik sneed grote stukken weg en voegde nieuwe toe. Aan het eind van het hele proces had ik zo'n beetje elke zin in het boek op de een of andere manier veranderd.

Ik had ook een nieuwe titel bedacht. Een titel die iets betekent, zelfs als je het verhaal niet hebt gelezen. En iedereen kan hem uitspreken.

Helikopterbroodje

Ik zat op het balkon een broodje te eten. Edammerkaas met bessenjam. Ik nam een hap en kauwde. Het was lekker, maar haalde het niet bij aardbeienjam met Cheddarkaas. Dat was mijn beste recept tot nu toe.

Ik bracht veel tijd op het balkon door. De flat was piepklein. Het voelde soms alsof ik in een onderzeeër woonde. Maar het balkon was geweldig. De wind. De lucht. Het licht. Je kon de 747's langzaam zien rondcirkelen, wachtend op een plekje op de landingsbaan van Heathrow. Je kon de politieauto's als speelgoedwagens door de kleine straatjes zien rijden, met gillende sirenes.

Je kon het park ook zien. En op deze morgen kon je daar een man zien staan, midden op de grote grasvlakte, met een metalen doos in zijn handen. Hoog boven zijn hoofd kon je nog net een zoemende modelhelikopter onderscheiden, zwenkend en draaiend als een libelle.

Papa was altijd al gek geweest van modellen. Treinen, vliegtuigen, tanks, auto's uit de jaren twintig. Maar nadat hij zijn baan in de autofabriek was kwijtgeraakt, werden die modellen het belangrijkste in zijn leven. En eerlijk is eerlijk: hij was geniaal. Gaf je hem een baksteen met een postelastiek, dan liet hij hem een looping uitvoeren voor je 'Go!' kon zeggen. Maar het voelde op de een of andere manier niet goed. Het was een hobby voor kleine jongens en rare kerels die nog bij hun moeder woonden.

Een vlucht duiven klepperde langs en ik hoorde het geluid van een bekende motor. Ik keek naar beneden en zag de grote zwarte Moto Guzzi van Kraterhoofd de parkeerplaats van de flat op draaien. Mijn lieve zusje Becky zat achter hem, met een groezelig leren jack over haar schooluniform.

Ze was zestien. Ik kon me de tijd herinneren, nog maar een paar jaar geleden, dat ze haar haar in staartjes droeg en ponyposters aan haar slaapkamermuur had hangen. Toen ging er iets helemaal fout in haar hersens. Ze begon naar deathmetal te luisteren en waste zich niet meer onder haar armen.

Ze had Kraterhoofd een halfjaar geleden bij een optreden ontmoet. Hij was negentien. Hij had lang vet haar en enorme bakkebaarden met stukjes ontbijt erin. Toen hij jonger was, had hij puistjes. Nu niet meer, maar er waren wel van die gaten achtergebleven. Vandaar de bijnaam. Hij zag eruit als het maanoppervlak.

Hij had net zo veel hersens als een toiletborstel. Daar waren mama, papa en ik het helemaal over eens. Becky dacht daar heel anders over: voor haar was hij een geschenk uit de hemel. Waarom ze op hem viel, geen flauw idee. Misschien was hij de enige die haar oksels kon verdragen.

De motor kwam tien verdiepingen lager ronkend tot stilstand en ik had even een moment van pure gekte. Zonder na te denken haalde ik de helft van mijn broodje eraf, leunde naar voren en liet los. Ik snapte bijna onmiddellijk dat ik iets heel, heel stoms had gedaan. Als ze geraakt werden, was ik zo goed als dood.

Het broodje schommelde, maakte een salto, zwenkte naar links en zwenkte naar rechts. Kraterhoofd deed de motor uit, stapte af, deed zijn helm af en keek omhoog naar de flat. Ik voelde me niet goed.

Het broodje raakte hem recht in zijn gezicht en bleef plakken, met de jamkant naar beneden. Een paar seconden stond Kraterhoofd daar, zonder een vin te verroeren, met het broodje als een masker op zijn gezicht. Becky stond naast hem en keek naar me op. Ze was niet blij.

Nou, je kunt meestal niet veel horen vanaf het balkon, vanwege het verkeer. Maar toen Kraterhoofd het broodje van zijn gezicht trok en brulde, konden ze hem waarschijnlijk in Japan nog horen.

Hij stormde op de deur af, maar Becky greep zijn pols en trok hem terug. Ze maakte zich geen zorgen om mij. Ze had het wel leuk gevonden als hij me vermoord had. Alleen niet in de flat. Want dat zou haar in de problemen brengen.

Kraterhoofd zag uiteindelijk in dat ze gelijk had. Hij zwaaide met zijn vuist en schreeuwde: 'Je bent er geweest, tuig!', klom op de Moto Guzzi en denderde weg in een wolk van vieze, grijze uitlaatgassen.

Becky draaide zich om en beende naar de deur. Ik keek naar de rest van mijn broodje en had ineens geen honger meer. Er was niemand meer op de parkeerplaats, dus ik liet deze helft ook los en zag hoe hij schommelde en een salto maakte en zwenkte en netjes naast de eerste helft neerkwam.

Op dat moment werd de balkondeur opengeschopt. Ik zei: 'Het was een ongelukje.' Maar Becky gilde: 'Kleine pad!' en gaf een harde klap tegen de zijkant van mijn hoofd, wat behoorlijk zeer deed.

Een paar seconden zag ik alles dubbel. Ik zag twee Becky's en twee balkons en twee ficussen. Ik huilde niet, want als ik huilde zou Becky me een baby noemen en dat was nog erger dan een klap krijgen. Dus ik hield me aan de balustrade vast tot de pijn wegtrok en er nog maar één Becky was.

'Waarom deed je dat?' vroeg ik. 'Hij viel niet op jou. Hij viel op Kraterhoofd.'

Ze kneep haar ogen tot spleetjes. 'Je hebt zo'n geluk dat hij niet naar boven is gekomen om je zelf een klap te verkopen.'

Ze had natuurlijk gelijk. Kraterhoofd had een zwarte band in kungfu. Hij kon mensen vermoorden met zijn oren.

'En dan nog iets,' siste ze. 'Zijn naam is Terry.'

'Nou, ik heb gehoord dat zijn echte naam Florian is. Hij doet net alsof hij Terry heet.' Ik deed een stap achteruit om de volgende stomp te ontwijken, maar die kwam niet. In plaats daarvan werd Becky heel rustig, leunde tegen de balustrade en knikte langzaam. 'Dat doet me eraan denken,' zei ze op griezelig vriendelijke toon. 'Ik moet je nog iets vertellen.'

'Wat?'

'Amy en ik hadden een paar dagen geleden een gesprek met mevrouw Cottingham in de lerarenkamer.' Becky haalde een pakje sigaretten uit de zak van haar leren jack en stak er heel langzaam eentje op, alsof ze in een zwart-witfilm speelde.

'Roken is slecht voor je,' zei ik.

'Hou die rotkop dicht en luister.' Ze zoog een long vol rook naar binnen. 'We hoorden meneer Kidd over jou praten.'

'Wat zei hij dan?'

'Slechte dingen, Jimbo. Slechte dingen.' Dat zei ze natuurlijk om me te pesten. Maar ze glimlachte niet. En het klonk niet als pesten.

'Wat voor slechte dingen?' Ik trok zenuwachtig aan de ficus en hield een van de bladeren in mijn hand.

'Dat je lui bent. Dat je lastig bent.'

'Je liegt.' Ik liet het blad van de ficus achter de tuinstoel glijden.

'Volgens meneer Kidd bak je er niks van op school. Volgens meneer Kidd – nu komt het – denken ze erover om je naar die school in Fenham te sturen. Je weet wel, die speciale school voor probleemkinderen.' Ze blies een rookkring.

'Dat is niet waar.' Ik voelde me duizelig. 'Dat kunnen ze niet maken.'

'Blijkbaar wel.' Ze knikte. 'De broer van Jodie is ernaartoe gestuurd.' Ze maakte haar sigaret uit in een van de plantenpotten en gooide hem over de balustrade. 'Jodie zegt dat het net een dierentuin is. Je weet wel, tralies voor de ramen, gillende kinderen.'

De glazen deur gleed open en mama stapte het balkon op met een van haar schoenen in haar hand.

'Hallo allebei,' zei ze terwijl ze de zool van haar schoen met een natte doek afveegde. 'Werkelijk waar, wat een rotzooi is het in deze wijk. Ik stapte net op een half opgegeten broodje. Nou vraag ik je.'

Ik draaide me om zodat mama mijn gezicht niet kon zien en op dat moment zag ik in de verte papa's helikopter de kruin van een boom raken, in brand vliegen, omlaagkringelen en landen op het gravel van het hondentoilet, waar hij een grote dalmatiër de schrik op het lijf joeg.

Papa gooide de afstandsbediening op de grond, liet zich op zijn buik vallen en hamerde met beide vuisten op het gras.

Problemen

Tijdens het eten was de stemming beroerd.

Becky vertelde mama dat het mijn broodje was. Mama gaf me een uitbrander omdat ik goed eten had verspild. Becky zei dat eten verspillen niet het punt was. Het punt was dat ik het op het gezicht van Kraterhoofd had laten vallen. Dus zei mama dat je een piano op Kraterhoofd kon laten vallen zonder dat het veel verschil maakte. Op dat punt vloekte Becky en stampte naar haar kamer.

Het werd nog erger, want papa was vergeten om de kip uit de vriezer te halen. Hij was vergeten om afwasmiddel te kopen. En hij was aan het mokken over zijn modelhelikopter. Die lag nu in de hal, verbrand, kapot en bedekt met stukjes gravel en hondenpoep.

'Het is maar een stuk speelgoed,' hield mama vol, halverwege de lasagne die nog van gisteren over was.

'Het. Is. Geen. Speelgoed!' schreeuwde papa.

Toen werd het erg lawaaierig, dus ik glipte naar de keuken en verdiende een paar browniepunten door de afwas te doen. Helaas moest ik de citroenzeep uit de badkamer gebruiken, wat alles de volgende dagen een vreemd smaakje gaf.

Toen ik klaar was, ging ik het balkon op voor een beetje rust. Vijf minuten later kwam papa er ook bij. Hij leunde naast me op de balustrade en staarde in het donker.

'Het leven is een broodje koeienvlaai, Jimbo,' zuchtte hij, 'met heel weinig brood en heel veel beleg.'

'Je kunt de helikopter wel weer repareren,' stelde ik hem gerust.

'Ja,' zei hij, 'dat weet ik.' Toen werd hij heel stil en treurig. Ik wist wat er ging gebeuren. We zouden een van die gesprekken krijgen waarin hij vertelde dat hij zich geen echte man meer voelde. Ik zou niet weten wat ik moest antwoorden. Hij zou zeggen dat ik goed mijn best moest doen op school, want ik moest met goede cijfers slagen om een baan te krijgen, want er was niks zo erg als werkloos zijn.

Ik had geen zin in zo'n gesprek. Niet nu. Ik wilde vooral niet denken aan school en examencijfers en werk.

'Ik weet niet hoe jullie het met me volhouden,' ging hij triest verder. 'Ik kan niet koken. Ik kan niet schoonmaken. Ik vergeet de boodschappen en ik zit de hele dag thuis te kniezen.'

'Je krijgt wel een andere baan,' zei ik. 'En ik vind lasagne trouwens veel lekkerder dan kip.'

Hij lachte en we staarden het donker in. Na een minuut of twee merkte ik dat ik aan het schoolgebeuren dacht. Meneer Kidd en Fenham en de tralies voor de ramen en het gegil.

'Papa?' vroeg ik.

'Wat?'

Ik wilde hem vertellen hoeveel zorgen ik me maakte. Maar het leek niet eerlijk. Hij had al genoeg op zijn bord. En hij zou er niet vrolijker op worden als hij hoorde dat ik misschien werd geschorst.

'O, niks,' zei ik vaag. 'Luister, ik moet ervandoor. Ik moet nog wat doen.'

'Oké.' Hij haalde zijn hand door mijn haar. 'Tot later, kerel.'

Ik pakte mijn jas, glipte de voordeur uit en begon de trap af te lopen.

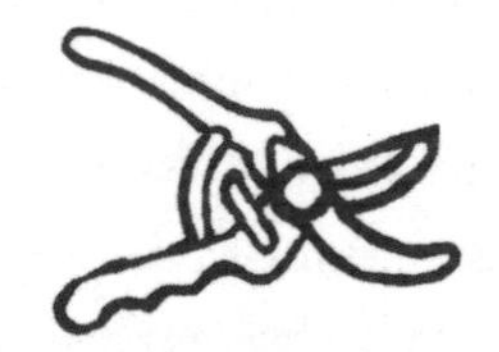

Becky loog, dat kon niet anders. Want als ze de waarheid vertelde, dan was ze me aan het helpen. Ze vertelde me wat er speelde en gaf me dus de kans om er iets aan te doen. Maar Becky had me in haar hele leven nog nooit geholpen.

Bovendien had ze een Nobelprijs voor mensen op stang jagen. Vorig jaar moest ik naar het ziekenhuis, waar ze mijn loensende oog recht gingen zetten. Van tevoren bleef ze maar vertellen wat er allemaal mis kon gaan. Misschien werkte de verdoving niet. Dan lag ik daar, klaarwakker maar niet in staat om te bewegen en zag ik hoe ze mijn oog opensneden. Misschien gaven ze me te weinig zuurstof en liep ik een hersenbeschadiging op. Misschien verwisselden ze mij met iemand anders en amputeerden ze mijn been.

Ik was zo doodsbang dat ik met een groot papier in mijn handen de operatiekamer in werd gereden. Ik had erop geschreven: ZORG ER ALSJEBLIEFT VOOR DAT IK ECHT IN SLAAP BEN. De verpleegsters vonden het ontzettend grappig.

Aan de andere kant zat ik wel echt te klieren in de klas. Ik moest om de week wel een keer nablijven. En ik was geen Albert Einstein.

In feite was het wel te verwachten dat ik van school gestuurd zou worden. Het leek wel of alles in het laatste halfjaar fout was gegaan. Dat kwam niet alleen doordat papa zijn baan kwijtraakte. Het kwam ook doordat mama een baan vond waarmee ze twee keer zo veel verdiende als hij ooit in de autofabriek had gekregen. Ze deed een parttime cursus boekhouden bij de LOI, was de beste van de klas en kreeg een baan bij Perkins en Thingamy hier in de stad.

Dus papa hing de hele dag vol zelfmedelijden thuis rond, kruiste advertenties aan en lijmde stukjes balsahout aan elkaar, en ondertussen zoefde mama in een elegant mantelpakje heen en weer in haar nieuwe rode Volkswagen. Ze had zelfs een koffertje met een cijferslot.

Soms leek het wel of de hele wereld op zijn kop was gezet.

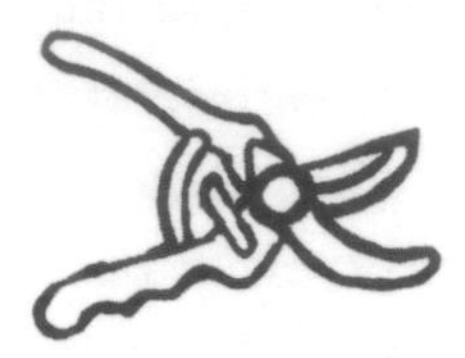

Binnen tien minuten stond ik bij Charlie voor de deur. Zijn huis was een groot, chic geval met vier verdiepingen, een garage en een echte oprijlaan. Dr. Brooks, Charlies vader, was een kleine, tanige man met enorme wenkbrauwen die zo weinig mogelijk zei. Hij was politiearts. Zo'n man die je op tv ziet, gebogen over een lijk, terwijl hij zegt: 'Hij is gedood door een klap op het hoofd met een koevoet, rond vier uur 's ochtends.'

Mevrouw Brooks, Charlies moeder, was totaal anders. Zij was kokkin van beroep en verzorgde de catering voor trouwerijen en conferenties. Ze had een keuken zo groot als een vliegtuighangar en een ijskast zo groot als onze flat. Ze had het temperament van een vlammenwerper en praatte eigenlijk nonstop.

Ik liep door het hek en naar de voordeur, terwijl ik me afvroeg waarom iemand de border voor het raam van de zitkamer had omgeploegd. Ik wilde net aanbellen, toen ik een namaak-uilenroep van boven hoorde komen. Ik keek omhoog en zag Charlie uit zijn slaapkamerraam leunen. Hij deed zijn vinger tegen zijn lippen en wees naar de zijkant van het huis. Ik hield mijn klep dicht en liep die kant op.

Toen ik op het donkere pad naast de garage stond, ging Charlies andere raam knarsend open en zag ik een touwladder naar beneden vallen. 'Kom maar boven,' fluisterde Charlie. Ik begon te klimmen, terwijl ik heel erg mijn best deed om niet te vallen of met een voet door een raam te trappen.

'Wat is er aan de hand?' vroeg ik toen ik eenmaal op zijn bed zat en op adem probeerde te komen.

'Ik heb huisarrest,' legde hij uit terwijl hij de touwladder weer oprolde. 'Superstreng. Ik mag niet weg. Geen vrienden over de vloer. Geen tv. Niks.'

'Waarom?'

'Ik vond dat het tijd werd dat ik leerde autorijden,' zei hij.

'Waarom?'

'Autorijden is een heel nuttige vaardigheid, Jimbo,' zei hij terwijl hij de radio aandeed om het geluid van ons gesprek te overstemmen. 'Het leek me een goed idee om vroeg te beginnen. Dus ik pakte de sleutels uit de fruitschaal en haalde mama's auto uit de garage toen ze bij de kapper was. Oefende een beetje in z'n één en z'n achteruit op de oprijlaan. Toen ging het ineens mis.'

'Laat me raden,' zei ik. 'Je reed het bloembed in.'

'En ik heb een koplamp vernield,' zei Charlie. 'Ik ben op dit moment niet bepaald mama's lievelingetje.'

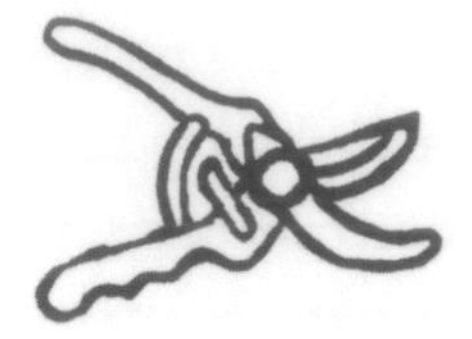

Een halfuur lang lagen we ons een beetje te vervelen terwijl we oude nummers van het *Tijdschrift voor Politieartsen* doorkeken die Charlie uit de studeerkamer van zijn vader had gejat, op zoek naar foto's van zware bedrijfsongevallen. Toen kreeg ik mezelf eindelijk zover dat ik Charlie vertelde wat me de hele avond al dwars zat.

'Ik zit in de problemen.'

'Vertel mij wat,' zei hij.

'Nee,' hield ik vol, 'ik bedoel écht in de problemen.'

'Zeg op.'

Dus ik vertelde het. Je kon met hem altijd goed praten over dit soort dingen. Hij luisterde echt en dacht goed na en als hij iets zei, was het meestal behoorlijk zinnig.

Hij zag eruit als een schoorsteenveger uit de victoriaanse tijd – een spits gezicht, kraalogen, haar alle kanten op en kleren die een paar maten te groot waren. Niet dat hij erg opviel. In de klas zei hij nooit zoveel en gevechten op het schoolplein ging hij uit de weg. Hij was zo iemand die altijd ergens op de achtergrond tegen een muur geleund staat en in de gaten houdt wat er gebeurt.

'Weet je, Jimbo,' zei hij toen ik klaar was met mijn verhaal.

'Wat?

'Je bent een goedgelovige sukkel. Als je zus zou zeggen dat de hemel naar beneden ging vallen, zou je rondlopen met een valhelm op.'

'Maar...' zei ik een beetje beschaamd, 'het kan toch echt waar zijn, of niet soms? Ik bedoel, dat kan toch?'

'Nou,' zei hij, 'er zit maar één ding op. We moeten erachter komen wat de leraren echt van je vinden.' Hij slenterde naar de andere kant van de kamer, duwde het bed opzij, trok een losse plank uit de vloer en haalde een klein zwart voorwerp uit het gat.

'Wat is dat?' vroeg ik.

'Een walkietalkie,' antwoordde hij. 'En die gaat dit probleem voor eens en voor altijd oplossen.'

'Hoe dan?' vroeg ik.

Charlie zette een knop op de walkietalkie om en ik hoorde de stem van zijn moeder krakend uit de luidspreker komen: '...je kunt zeggen wat je wilt, maar die jongen moet zijn lesje leren. Deze week probeert hij in de auto te rijden. Volgende week legt hij het hele huis in de as. Nou, wat wil je eten? Ik heb nog wat forel over van de bruiloft van de Kenyons. Ik kan er wat nieuwe aardappeltjes en boontjes bij maken –'

Charlie zette de knop weer uit. 'De andere staat in de keuken, boven op de buffetkast.' Hij stopte de walkietalkie weer onder de vloer. 'Ik gebruik hem om op de hoogte te blijven van wat er beneden gebeurt, in Ouderland. Goed hè.'

'Geniaal,' zei ik. 'Maar hoe gaat dat ding mij helpen?'

'Gebruik je hersens, Jimbo,' zei Charlie terwijl hij tegen zijn voorhoofd tikte. 'We zetten er één in de lerarenkamer.'

'Is dat niet een beetje link?' zei ik zenuwachtig. Het was allemaal al erg genoeg. Als de leraren erachter kwamen dat ik hun persoonlijke gesprekken afluisterde, werd ik zo van school geschopt en zat ik nog voor het eind van de dag opgesloten in Fenham.

'Natuurlijk is het link.' Charlie haalde zijn schouders op. 'Er zou toch geen lol aan zijn als het niet link was.'

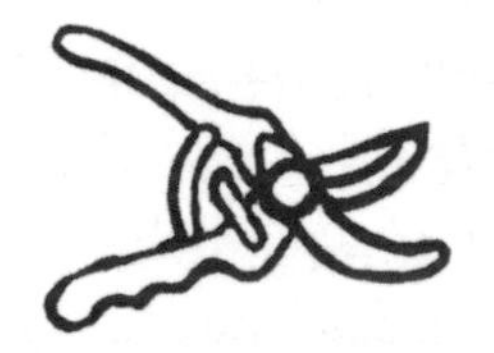

Ik was halverwege de touwladder toen er een licht aanging. Er klonk een onheilspellende bons en toen ik omhoogkeek, zag ik Charlies moeder dreigend uit het raam van de overloop opdoemen.

Ze had de schaar in haar hand waarmee ze altijd haar rozen snoeide. 'Goedenavond, Jim,' zei ze terwijl ze glimlachend op me neerkeek. 'En wat ís het een fijne avond.'

'Eh, ja,' zei ik schor. 'Heel fijn.'

'Helemaal om onuitgenodigd iemands huis in te klimmen,' zei ze afkeurend. 'Jim toch, ik had wel kunnen denken dat je een inbreker was, of niet soms? En Joost mag weten wat er was gebeurd als ik had gedacht dat je een inbreker was.'

Ik klom zo snel mogelijk de ladder af. Het was niet snel genoeg. En dat bedoelde ik nou met 'het temperament van een vlammenwerper'. Ik heb een keer gezien dat Charlies moeder een broodplank door de keuken gooide. Tijdens een ruzie. Ze houdt zich gewoon niet aan de normale regels voor volwassenen.

Ik was nog een meter boven de grond toen ze een van de touwen van de ladder doorknipte. Ik gleed weg en bungelde ineens ondersteboven. Toen knipte ze het andere touw door en ik viel op het grind, waarbij ik de mouw van mijn shirt scheurde en de huid van allebei mijn ellebogen kapot schaafde.

Toen ik naar het hek rende, kon ik haar horen bulderen: 'Charlie...! Kom onmiddellijk beneden!' Ik hoopte maar dat ze geen broodplank vast had.

Walkietalkie

Charlie had het plan uitgewerkt alsof het om een bankoverval ging.

Hij zou tijdens de pauze de lerarenkamer binnen glippen en de walkietalkie onder een stoel verstoppen. Gelijk na schooltijd begon de wekelijkse lerarenvergadering. Als het schoolplein eenmaal leeg was, zouden we ons verstoppen in het schuurtje met de gymspullen en met behulp van de tweede walkietalkie meeluisteren.

Als ze niks zeiden, had ik niks te vrezen en zouden we de brommerhelm van Becky volgieten met mayonaise. Als ze mijn verbanning naar Fenham zouden bespreken, werd het tijd om drie uur per dag huiswerk te gaan maken en voor al mijn leraren cadeautjes te kopen.

Er zaten duidelijk zwakke plekken in het plan. Misschien hadden ze wel iets belangrijkers te bespreken dan mij. Of misschien hadden ze het vorige week al over mijn verbanning naar Fenham gehad. Ik denk eerlijk gezegd dat het Charlie meer ging om het afluisteren van de leraren dan om mijn gemoedsrust.

In het ergste geval zou de conciërge ons betrappen. Toen meneer McLennan vorig jaar de Petterson-tweeling in het gymhok betrapte, deed hij net alsof hij ze niet had gezien en sloot ze de hele nacht op. Hij was bijna ontslagen, maar toen had de directrice bedacht dat het wel handig was als iedereen wist dat de school werd bewaakt door een gevaarlijke gek.

Aan de andere kant: wat kon ik anders doen? Ik had zelf geen briljant plan en ik deed in ieder geval iets positiefs. Mama zei altijd dat het heel leuk is om iets positiefs doen. Veel beter dan de hele dag chagrijnig rond te hangen. Zoals een bepaald lid van het gezin.

Bovendien hadden twee mensen het op mijn leven gemunt: een met een schaar zwaaiende kokkin en een kungfu-deathmetal-motorrijder. De één woonde in Charlies huis en de ander bracht een heleboel tijd in onze flat door. Al met al was het gymhok waarschijnlijk de veiligste plek.

Ik zag Charlie de volgende morgen bij het schoolhek, net voor de dagopening. Er zat een groot wit verband om zijn rechterhand, waar bloedvlekken doorheen schemerden. Er schoot een afgrijselijk beeld door mijn hoofd.

'O God!' zei ik. 'Ze heeft je vingers eraf geknipt.'

'Wat?'

'Met de snoeischaar.'

'Nee, nee, nee.' Charlie lachte hoofdschuddend. 'Ze is wel gek, maar niet zo gek. Ik probeerde te ontsnappen. Ik sprong over de vensterbank en ging zo snel mogelijk de ladder af. Ik wilde pas terugkomen als ze was afgekoeld.'

'Maar ze had de ladder in tweeën geknipt.'

'Daar kwam ik toen achter.' Hij hield zijn gewonde handen omhoog. 'Ik kwam op een berg oude bloempotten terecht.'

'Ernstig.'

'Het had veel erger kunnen zijn,' zei hij. 'Naast de bloempotten stond een doos met tuingereedschap.'

We begonnen de ochtend met natuurkunde bij meneer Kosinsky. Meneer Kosinsky vond zichzelf erg grappig. Wij vonden hem een wandelende tak met achterlijke sokken. Je kon zijn sokken altijd zien omdat zijn broeken te kort waren. Vandaag stonden er allemaal kleine sneeuwpoppetjes op.

'Wat een traktatie. De grote geesten van het zesde jaar,' zei hij terwijl hij met een zwaai zijn jas uitdeed en over de rugleuning van zijn stoel hing. 'Eens kijken, waar waren we de vorige keer gebleven? Misschien bij de rol van quarks en gluonen in de kwantumveldentheorie?'

'Zwaartekracht, meneer,' zei Mehmet. 'We hadden het over de zwaartekracht.'

'Ach ja, mijn fout,' zei meneer Kosinsky terwijl hij zijn slungelachtige lijf op zijn stoel schoof. 'Nou, wie kan mij even een korte samenvatting geven van wat we maandag hebben gedaan?'

Dennis stak zijn hand in de lucht en begon iedereen te vertellen over Isaac Newton en ontsnappingssnelheid en waarom het zo moeilijk is om naar de wc te gaan in een ruimteschip.

Ik keek meneer Kosinsky in de ogen. Vond hij mij een hersenloze lastpost? Had hij besloten dat hij het niet kon verdragen om mij nog langer les te geven? Was hij een man die iemand van school zou willen sturen?

Ik wierp een blik op Megan Shotts. Ze zat zoals gewoonlijk op de achterste rij en sneed met een zakmes stukken uit haar tafeltje. Megan sloeg kleine jongetjes in elkaar op het schoolplein. Ze had de zijspiegels van meneer Bentons auto eraf getrapt. Vorige zomer had ze alle sprinkhanen uit het biologielab losgelaten. Ik vond er één terug in mijn broodtromel. Ik kon heel vervelend zijn, dat wist ik ook wel. Maar ik kon niet in Megans schaduw staan.

Ik keek even de andere kant op. Barry Griffin. Hij had vorig jaar een paar vragen fout beantwoord en was daarna in een permanente winterslaap gevallen. Hij staarde elke les in de verte, onbeweeglijk en afwezig, zoals iemand die met een koptelefoon naar muziek zit te luisteren. Alleen had hij geen koptelefoon. Hij had wel korte benen en heel lange armen. Hij zag eruit als een mens uit de oertijd. Naast Barry leek ik wel iemand van NASA.

Waarom zou ik naar een speciale school gestuurd worden en die twee niet? Becky loog, dat kon niet anders.

'Aarde aan Jim.'

Ik keek op en zag meneer Kosinsky naast mijn tafeltje staan.

'Ja?' zei ik.

'De getijden, Jim. Wat veroorzaakt de getijden?'

'Nou...' zei ik, van mijn stuk gebracht.

Meneer Kosinsky boog voorover en keek in mijn oor. 'Ongelooflijk. Ik kan er helemaal doorheen kijken, en aan de andere kant er weer uit.'

Er klonk gelach.

'Wat veroorzaakt de getijden, Jim? Is het misschien de aantrekkingskracht van de zon?'

'Dat zou kunnen,' zei ik aarzelend.

'Of is het misschien een heel grote vis die Brian heet?'

'Waarschijnlijk niet,' zei ik.

'Jim,' verzuchtte hij terwijl hij weer naar voren

liep. 'Ik vraag me wel eens af waarom je überhaupt de moeite neemt om naar school te komen.'

De moed zonk me in de schoenen. Misschien had Becky toch gelijk.

Na de lunch bleef ik bij de deur van het secretariaat rondhangen en zag Charlie zijn vrachtje afleveren. Met de walkietalkie veilig in zijn jaszak gestoken, klopte hij op de deur van de lerarenkamer. De deur ging open en meneer Kidd verscheen, met zijn mond vol worst en een nummer van *Welke Auto?* in zijn hand.

Meneer Kidd gaf tekenen. Hij hoorde eigenlijk geen leraar te zijn. Hij zag eruit alsof hij een paar jaar geleden toevallig de school in was gewandeld en toen niet meer wist hoe hij eruit moest komen. Zijn das hing altijd los, de mouwen van zijn overhemd waren altijd opgestroopt en hij had altijd een nogal depressieve uitdrukking op zijn gezicht. Ik denk dat hij eigenlijk liever thuis wilde zijn, kijkend naar *Sky Sports*, met een biertje in de hand. Aan de andere kant kon hij heel goed paarden tekenen. En paarden zijn echt moeilijk.

'Pardon meneer,' zei Charlie. 'Mag ik even binnenkomen? Ik wil graag iets bespreken.'

'Kun je...' Meneer Kidd slikte zijn grote hap worst door. 'Kun je het niet gewoon hier zeggen?'

'Het is nogal persoonlijk,' zei Charlie.

'Oké, oké,' zei meneer Kidd en hij wuifde hem naar binnen met zijn tijdschrift.

Een paar minuten later kwam Charlie de gang weer op en grijnsde naar me.

'Is het gelukt?' vroeg ik.

Hij sloeg een arm om mijn schouders toen we wegliepen. 'Soms ben ik zo cool dat ik er zelf van sta te kijken.'

'En, wat was je persoonlijke probleem?'

Maar op dat moment ging de bel.

'Ik vertel het straks wel,' zei Charlie en we gingen terug naar ons lokaal.

's Middags hadden we les van mevrouw Pearce, over de industriële revolutie. De spinmachine. Watts stoommachine. Kinderen die in mijnen moesten werken. Daar hield de rest zich in elk geval mee bezig. En ik, ik zat achter in de klas alleen maar te denken aan mijn verbanning naar Fenham en aan Kraterhoofd die me ging vermoorden en ik bedacht dat werken in een mijn dan toch beter was.

Toen de school uitging, bleven we nog zo'n tien minuten rondhangen en glipten toen het gymhok in. Charlie pakte de tweede walkietalkie uit zijn tas en deed hem aan en plotseling waren we onze leraren aan het bespioneren.

Ik vond het een paar minuten het spannendste wat ik ooit had gedaan. Maar binnen een kwartier werd het zo ongeveer het saaiste wat ik ooit had gedaan. Ze hadden het over de vierhonderd pond die ze aan nieuwe boeken voor de bibliotheek gingen uitgeven. Ze hadden het over de brandoefening. Ze hadden het over welke aannemer ze gingen inhuren om het asfalt van het schoolplein te vervangen. Ze hadden het over de secretaresse die wegging om een baby te krijgen. Ze hadden het over het lerarentoilet dat niet goed doortrok.

Ik begon te begrijpen waarom meneer Kosinsky rare sokken droeg. Kiezen welke sokken hij aan zou doen, was waarschijnlijk het spannendste onderdeel van zijn dag.

'Trouwens,' zei de krakende stem van meneer Kidd door de walkietalkie, 'Charlie Brooks kwam vandaag tijdens de lunch naar me toe. Jullie hebben zijn verband waarschijnlijk wel gezien.'

Er klonk gemompel in de kamer.

'Hé, ze hebben het over jou,' siste ik tegen Charlie.

'Sssst!' siste hij terug.

'Blijkbaar,' begon meneer Kidd, 'is hij aangevallen door de hond van de buren. Schijnt nogal een gemeen beest te zijn. De arme jongen was bijna zijn vingers kwijt. Zijn ouders moesten met hem naar het ziekenhuis.'

'Wat?' sputterde ik tegen Charlie.

Hij zag er heel zelfvoldaan uit.

'Dus pak hem niet te hard aan de komende dagen,' zei meneer Kidd. 'Hij was behoorlijk ondersteboven van de hele gebeurtenis.'

Er kwam instemmend gebrom uit de kleine zwarte luidspreker.

Ik keek even naar Charlie. 'Dat was slim van je.'

Charlie glimlachte even naar me en zei: 'Nou, het ziet ernaar uit dat jij ook buiten gevaar bent.'

'Misschien niet,' zei ik.

'Wat is er nou belangrijker?' zei Charlie. 'Dat jij van school wordt gestuurd, of dat de wc van de leraren niet goed doorspoelt? Als ze jou van school gingen sturen, denk ik dat ze het wel gezegd zouden hebben.'

'Waarschijnlijk heb je gelijk,' gaf ik toe.

'Dus,' zei Charlie, 'wanneer gaan we mayonaise in de helm van Becky doen?'

'Dat lijkt me bij nader inzien toch niet zo'n goed plan.' Ik stond op. 'Ik wil Kraterhoofd niet nog kwader maken.'

In de lerarenkamer schoven de leraren hun stoelen achteruit, stopten papieren in hun koffertjes en gingen naar huis.

'Geef ze vijf minuten om weg te komen,' zei Charlie. Hij strekte zijn benen en gaapte. 'Dan is de kust wel veilig en gaan we ervandoor.'

Op dat moment gebeurde er iets heel vreemds. Ik had de walkietalkie opgepakt en wou hem net uitdoen toen hij met een vrouwenstem zei: 'Bretnick.'

Ik schudde hem heen en weer, omdat ik dacht dat een van de draadjes was losgeschoten.

'Toller bandol venting,' zei een mannenstem.

'Charlie,' fluisterde ik, 'luister eens.'

Hij liep naar me toe en hurkte net op tijd neer om de vrouwenstem te horen zeggen: 'Loy. Loy garling dendle. Nets?'

Onze monden vielen open en onze ogen werden zo groot als schoteltjes.

'Zorner.'

'Zorner ment. Cruss mo plug.'

'Bo. Bo. Tractor bonting dross.'

'Hoor jij wat ik hoor?' vroeg Charlie.

'Ja, maar wie is het?'

Charlie luisterde aandachtig. 'Dat is mevrouw Pearce.'

'Wendo bill. Slap freedo gandy hump,' zei mevrouw Pearce.

'Jees, je hebt gelijk. Maar wie is die andere?' Ik zette het geluid harder en luisterde geconcentreerd.

'Zecky?' zei de mannenstem. 'Spleeno ken mondermil,'

'Dat is meneer Kidd,' zei ik.

'Ik denk dat mijn hoofd uit elkaar gaat barsten,' zei Charlie.

'Wacht...' Ik morrelde aan alle knoppen van de walkietalkie. Ik haalde de batterijen eruit en stopte ze weer terug. Er was geen ontkomen aan. Onze tekenleraar en onze geschiedenislerares stonden in de lege lerarenkamer en zeiden 'Tractor bonting dross' en 'Slap freedo gandy hump' tegen elkaar alsof het de normaalste zaak van de wereld was.

'Gasty pencil,' zei mevrouw Pearce.

'Spudvetch!' zei meneer Kidd.

'Spudvetch!' herhaalde mevrouw Pearce.

Twee stoelen schoven achteruit, vier schoenen tikten over de vloer, de deur ging open, de deur ging dicht en het was stil.

Charlie en ik keken elkaar aan en trokken gelijktijdig onze wenkbrauwen op. We zeiden niets. Dat hoefde niet. We dachten hetzelfde.

Vergeet Fenham. Er kwam een avontuur aan, een door kernenergie aangedreven, honderd ton zwaar avontuur met verstelbare stoelen en een snackkarretje. En het kwam nu het station binnen rijden.

We pakken het simpel aan

Eenmaal thuis had ik tijd genoeg om na te denken over wat Charlie en ik hadden gehoord, want ik zat anderhalf uur opgesloten in de badkamer.

Ik stapte de flat binnen, gooide mijn schooltas in mijn kamer en ging naar de keuken om een beker warme chocolademelk te maken. Helaas zaten mijn zus en Kraterhoofd al in de keuken.

'Hallo!' kraaide ik.

Mijn hoofd zat zo vol met meneer Kidd en mevrouw Pearce en 'Tractor bonting dross' dat ik het vliegende broodje en de doodsbedreiging totaal was vergeten. Tenminste, tot Kraterhoofd schreeuwend op me af kwam stormen: 'Kom hier, jij kleine snotlap!'

Toen kwam het allemaal heel snel terug.

Ik gilde en sprong buiten zijn bereik. Ik sprintte door de hal, draaide slippend de badkamer in en draaide me om. Ik zag een gruwelijke flits van bakkebaarden en maaiende vuisten, toen sloeg ik de deur dicht en deed hem op slot.

'Kom naar buiten, dan vermoord ik je!' schreeuwde hij, bonkend op het dunne multiplex.

Ik was niet dom. Ik pakte de fles bleekwater, haalde de dop eraf, richtte het mondstuk op de deur en wachtte. De scharnieren kreunden, maar ze gaven niet mee.

Even later hoorde ik papa mopperend uit zijn slaapkamer komen. 'Wat is hier aan de hand?'

Kraterhoofd zei dat hij me ging vermoorden. Becky zei dat hij het niet meende. En Kraterhoofd zei dat hij het wel meende.

Ik wachtte tot papa Kraterhoofd de flat uit zou schoppen of met een klap op zijn hoofd bewusteloos zou slaan. Maar hij humde wat en zei toen: 'Ik ga naar de winkel. Als ik thuiskom en je bent er nog, dan zwaait er wat.'

Ik begon te begrijpen wat papa bedoelde toen hij zei dat hij geen echte man meer was.

Toen de deur van de flat achter hem dichtsloeg, lachte Kraterhoofd, bonkte nog wat op de badkamerdeur, raakte verveeld en ging terug naar de keuken. Ik ging op de donzige blauwe badmat zitten, bleekwater onder handbereik, en dacht eens goed na.

En dit is wat ik dacht... Ze praatten geen onzin. Daar waren het de mensen niet voor, om onzin te praten. In geen geval. Mevrouw Pearce was vijfentachtig, of daar in de buurt, en meneer Kidd had geen gevoel voor humor. Wat ze zeiden klonk als een echt gesprek. Je kon er alleen geen woord van verstaan.

Dus ze spraken een vreemde taal. Misschien hadden ze vroeger in Burkina Faso gewoond, of op de Filipijnen. Misschien waren ze op vakantie geweest naar Groenland of Vietnam. Misschien volgden ze samen een avondcursus Mongools.

Maar als dat zo was, waarom zagen we ze verder dan nooit met elkaar praten? Ik kon me niet herinneren dat ze ooit een woord met elkaar hadden gewisseld in al die jaren dat ik op school zat.

En als ze een vreemde taal spraken, waarom hadden ze ons dat dan niet verteld? Het waren leraren. Leraren vonden het heerlijk om op te scheppen. Vorige week had meneer Kidd ons er nog aan herinnerd dat hij cricket had gespeeld voor jong Somerset. En mevrouw Pearce vond het heerlijk om tijdens de dagopening aan de piano te zitten en extra krullerige stukjes te spelen die helemaal niet in de gezangen thuishoorden. Als ze Mongools konden spreken, zouden ze ons dat zeker vertellen. Daar kon je je laatste stuiver onder verwedden.

Ze hadden gewacht tot iedereen de kamer uit was. Ze hadden een geheim. Een groot geheim. Een geheim dat geen enkele andere leraar mocht weten.

En wij zouden ontdekken wat dat geheim was.

Ik wachtte anderhalf uur en toen kwam mama eindelijk uit haar werk. Ik stond op en drukte mijn oor tegen de deur.

'Waar is Jimbo?' vroeg ze aan Becky.

Ik hoorde Kraterhoofd opnieuw uitleggen dat hij me ging vermoorden. Een nanoseconde later hoorde ik een harde, krakende klap. Ik kwam er later achter dat dat het geluid was van de klap die Kraterhoofd tegen de zijkant van zijn kop kreeg met een koffertje met cijferslot.

Hij jankte van de pijn. 'Waar's da goed voor?'

'Eruit!' blafte mama, zo hard dat ik er zelfs van schrok. 'Nu de flat uit met dat vette achterwerk, of ik bel de politie.'

'Kalm aan, mevrouwtje,' bromde Kraterhoofd.

'Maak je niet druk, mama,' zeurde Becky.

'En jij houdt je snavel!' snauwde mama.

Het geluid van zware laarzen werd gevolgd door een harde knal. Toen klopte mama zachtjes op de badkamerdeur.

'Je kunt er nu uit komen, Jimbo. Die pummel is weg.'

Ik kwam naar buiten en schudde mama de hand. 'Dat was klasse.'

Er was in ieder geval één echte vent in de familie.

Na alle opschudding werd het nog een verrassend gezellige avond. Omdat papa bang was dat Kraterhoofd nog steeds in huis zou zijn als hij terugkwam, bleef hij heel lang in de winkel. Hij had wel voor drie weken boodschappen gedaan. Toiletpapier, afwasmiddel, schuurmiddel, de hele mikmak.

Dus mama was gelukkig. En papa was gelukkig omdat mama gelukkig was. En ik was gelukkig omdat papa en mama gelukkig waren met elkaar. En Becky was helemaal niet gelukkig, waar ik altijd heel vrolijk van werd. Bovendien bleef ze mokkend op haar kamer zitten, dus wij hadden het echt heel gezellig.

Toen ik klaar was met de afwas, besloot ik om naar bed te gaan en het speurwerk voor morgen te plannen. Ik maakte mijn warme chocolademelk en liep naar papa, die voor de tv naar *Politie, Camera, Actie* zat te kijken.

Ik trok zijn aandacht en zei: 'Spudvetch!'

Hij keek me een paar seconden onzeker aan. Toen grinnikte hij, zei 'Spudvetch!' en stak zijn duim op.

Ik grinnikte terug en ging de gang op.

Charlie en ik waren het er helemaal over eens. We konden ze geen rechtstreekse vragen stellen. We moesten het subtiel aanpakken. Zij hadden een geheim en dat zouden ze niet zomaar met Jan en alleman gaan delen.

Maar er waren genoeg andere dingen die we konden vragen. En omdat ik het tossen had verloren, moest ik als eerste een vraag gaan stellen.

Mijn doelwit was meneer Kidd. We schaduwden hem tijdens de lunchpauze en volgden hem naar de schoolbieb. Daar troffen we hem aan achter een van de computers, surfend op de supporterswebsite van Arsenal.

Ik pakte een boek over Spanje van een plank, deed het open, boog mijn hoofd en botste tegen hem aan. 'Sorry meneer,' zei ik terwijl ik een stap terug deed.

'Het geeft niet,' antwoordde hij en gaf snel de monitor een zwiep van 90 graden.

'Meneer...?' vroeg ik in een poging om zijn ogen van het scherm los te weken.

'Wat, John?'

'Het is Jim, meneer.' Ik haalde diep adem. 'Ik denk erover om Spaans te leren.'

'Echt?' zei hij. Hij keek me nogal vreemd aan, alsof ik eten op mijn gezicht had zitten of een sliert snot.

'Daar gaan we in de vakantie naartoe, meneer. Spreekt u Spaans?'

'Nee,' zei hij behoedzaam. 'Waarom vraag je dat eigenlijk?'

'Ik vroeg me af hoe snel ik een vreemde taal zou kunnen leren. De basisdingen, bedoel ik. Als ik echt mijn best deed.' Ik haalde voor de tweede keer diep adem. 'Spreekt u andere talen, meneer?'

'Talen zijn niet mijn sterkste punt,' verzuchtte hij. 'Ik ben meer een kerel voor plaatjes. Die blijven wel in mijn hoofd zitten. Maar talen... Nou, ze gaan het ene oor in en het andere uit. Ik heb vorig jaar in Bretagne geprobeerd om wat Frans te leren, maar ik klonk als een idioot. En als ik dan toch als een idioot moet klinken, doe ik dat liever in mijn eigen taal.'

Mevrouw Pearce was Charlies doelwit.

Drie dagen later kreeg hij zijn eerste kans, toen de les over ontdekkingsreizigers ging. Scott, die de race naar de Noordpool verloor en onderweg doodging; Livingstone, die de Zambezirivier op voer; Kapitein Cook, die naar Australië zeilde en beschuit met wormen at.

'Hebt u wel eens een ontdekkingsreis gemaakt, mevrouw Pearce?'

Het was de stem van Charlie. Ik draaide me om op mijn stoel. Er stak een kleine, in verband gestoken hand de lucht in.

'Natuurlijk niet,' antwoordde mevrouw Pearce, glimlachend en hoofdschuddend.

Ze had gelijk. Het was een behoorlijk stomme vraag. Ik kon me niet voorstellen dat mevrouw Pearce, met haar tweed mantelpakje en haar handtas, ooit iets gevaarlijkers had verkend dan de diepvriesafdeling van de supermarkt.

'Ik bedoel, bent u nooit op spannende plekken geweest?' hield Charlie vol. 'In Afrika of India of zoiets?'

Het klonk mij nogal onbeholpen in de oren. Charlie had nooit veel belangstelling getoond voor geschiedenis. Maar ze was heel blij met zijn vraag.

'Ik ben bang van niet,' zei ze. Ze deed haar bril af en poetste de glazen schoon met haar zakdoek. 'Ik ben nooit echt in het buitenland geweest. Ik ga in de zomer meestal naar Schotland, maar een ontdekkingsreis is natuurlijk iets heel anders.'

Ik stond bij het schoolhek op Charlie te wachten en vroeg me af wat we nu in vredesnaam moesten doen. Als ze al een geheim hadden, dan wisten ze dat wel heel goed te verbergen. Zo goed, dat ik begon te twijfelen of het gesprek dat wij hadden afgeluisterd misschien niks meer was geweest dan een levendige droom.

'Jimbo,' zei Charlie hijgend toen hij naar me toe kwam rennen. 'Sorry dat ik zo laat ben. Ik moest de walkietalkie nog uit de lerarenkamer zien te krijgen.'

'En wat voor verhaal heb je deze keer opgehangen?'

'De directrice heeft een briefje geschreven dat ik een maand niet naar gym hoef. Je weet wel,' – hij hield zijn verbonden hand in de lucht – 'ik zei dat ik niet mocht van de dokter.'

'En wat doe je nou als de directrice op de volgende ouderavond met je moeder gaat praten?'

Charlie schudde zijn hoofd. 'Ze krijgt er nooit een speld tussen.'

'Dus,' zei ik, terugkerend naar het echt belangrijke onderwerp. 'Wat doen we nu?'

'We hadden ze op moeten nemen,' zei Charlie. 'Misschien, als we de boodschap terug konden luisteren –' Hij stopte midden in de zin en keek om naar de school. 'Ik krijg ineens een idee.'

Ik draaide me om en zag meneer Kidd over het schoolplein naar ons toe lopen, zijn sleutels in de ene en zijn koffertje in de andere hand.

'Ik vlieg tegen de muur op van die onzekerheid,' zei Charlie. 'Kom, we gaan het simpel aanpakken.'

'Wat bedoel je?' vroeg ik nogal paniekerig.

Charlie stapte naar voren en versperde meneer Kidd de weg. Hij wachtte tot Kidd stilstond en zei toen met opgewekte stem: 'Spudvetch!'

Meneer Kidd verstarde een moment. Toen gleed het koffertje uit zijn hand en viel op de grond. Hij leek het niet te merken. Zijn kaak bewoog op en neer, maar het kostte hem duidelijk moeite om woorden te vormen.

Ik werd een beetje misselijk.

'Maar je bent niet –' zei meneer Kidd. Toen hield hij ineens op.

Hij maakte vuisten en zijn rug werd stijf als bij een boze kat. En toen gebeurde er iets met zijn ogen. Charlie heeft het ook gezien, anders had ik misschien gedacht dat ik het me verbeeldde. Maar ik verbeeldde me niks. Een heel kort ogenblik flitste er een fluorescerend blauw licht achter zijn pupillen, net als bij Charlies robotspaarvarken. Alleen was meneer Kidd geen robotspaarvarken. Hij was onze tekenleraar.

Net toen ik me wilde omdraaien om weg te rennen, was het allemaal weer voorbij. Net zo snel als het begonnen was. Zijn ogen werden weer normaal. Langzaam en weloverwogen legde hij zijn rechterhand over zijn linkerpols, als om zichzelf te kalmeren. Hij haalde diep adem en zei: 'Zijn jullie op weg naar huis, jongens?'

Ik probeerde 'Ja' te zeggen, maar het kwam eruit als een gesmoorde piep.

Charlie zat op zijn knieën en stopte alles terug in meneer Kidds koffertje. Hij stond op en gaf het terug.

'Dankjewel.' Meneer Kidd glimlachte. 'Ik zie jullie morgen. Fijne avond, jongens.'

We stonden daar en keken hoe hij naar de parkeerplaats liep. Hij klikte op de afstandsbediening en de lichtjes van de gedeukte Fiat knipoogden terug met een klein *bliep-bliep*-geluidje.

'Jemig,' zei Charlie.

Er dreef een zwerm bruisende witte lichtjes door mijn gezichtsveld. De lucht begon te tollen, mijn knieën begonnen te trillen en ik moest op de muur gaan zitten om niet flauw te vallen.

Inbraak

Toen ik midden in de nacht wakker werd, dacht ik dat meneer Kidd met een broodmes en een fluorescerend blauw licht in zijn ogen naast mijn bed stond, een brede grijns op zijn gezicht. 'Fijne avond. Fijne avond. Fijne avond.'

Ik keek in de klerenkast. Ik keek onder het bed. Ik keek op het balkon en in de badkamer en achter de bank. En ik kon nog altijd niet in slaap komen. Dus ik snorde een pak sultana's op en keek naar *Star Wars* tot de anderen wakker werden. Toen ging ik naar mijn kamer en hield mijn voorhoofd vijf minuten tegen de radiator.

Ik kwam weer naar buiten en vertelde iedereen dat ik pijn in mijn keel had en diarree en dat het dus geen goed idee was om naar school te gaan. Natuurlijk kon ik niet voor altijd thuisblijven. Maar voorlopig voelde het heel wat veiliger om onder een deken op de bank naar *The Empire Strikes Back* of *The Return of the Jedi* te kijken.

'Arme, arme jij,' verzuchtte Becky, die me helemaal doorhad. 'Ik geloof dat we maar een ambulance moeten bellen, denk je niet? Zal ik het gelijk even doen?'

'Mama?' zei ik. 'Ik denk dat ik koorts heb. Hier. Voel maar.'

Maar mama had het te druk. Ze wervelde door de flat, deed lippenstift op, pakte presentatiemappen. 'Laat papa maar even voelen, lieverd,' zei ze terwijl ze haar kapsel bekeek in de glazen deur van het fornuis. 'Ik ben al laat.'

'Ik bel nu het ziekenhuis,' kondigde Becky aan. Ze pakte de telefoon op.

'Doe niet zo ontzettend kinderachtig,' snauwde mama. Ze pakte de hoorn af, klapte hem terug op het toestel en schoot in een wolk van parfum de deur uit.

Aan papa had ik ook niet veel. 'School is belangrijk,' zei hij, op de bank, in zijn pyjama, kijkend naar ontbijt-tv. 'Elke dag telt. Je hebt een opleiding nodig. Je moet goede cijfers halen voor je examen.'

'Maar papa. Voel aan mijn voorhoofd. Snel.' Mijn voorhoofd koelde af. De radiatortruc was pijnlijk en ik wilde het niet nog een keer doen.

'Je hebt een diploma nodig,' zei hij en hij gaf me zijn eersteklas ernstigevaderblik. 'Met een diploma kom je niet op de bank terecht, in je pyjama, kijkend naar ontbijt-tv, terwijl iedereen om je heen naar zijn werk gaat.'

'Maar...'

'Jimbo...' Hij wees met zijn geroosterde boterham

naar me. 'Je kunt nog lopen. Je kunt nog praten. Je hoest geen bloed op en je hebt geen botten gebroken. Ga naar school.'

Ik dacht erover om hem de waarheid te vertellen. De walkietalkie. Spleeno ken mondermill. De robotspaarvarkenogen. Maar het klonk geschift. En ik had echt geen behoefte aan een wekelijkse sessie met de schoolpsycholoog.

Ik kleedde me aan, pakte mijn tas en sjokte de voordeur uit, naar de lift.

Ik had me geen zorgen hoeven maken. We werden niet achter in een busje gestopt. We werden niet door mannen met zwarte bivakmutsen gewurgd in de toiletten. Meneer Kidd knikte ons beleefd goedendag op de gang en mevrouw Pearce gaf les over de Boerenoorlog zonder een spier te vertrekken.

Tegen lunchtijd had ik mezelf ervan overtuigd dat er niks aan de hand was. Meneer Kidd droeg rare contactlenzen. Of we hadden het blauwe licht van een politieauto in zijn ogen weerspiegeld gezien. Hij en mevrouw Pearce waren lid van een Esperantoclub, of ze deelden samen de een of andere vage grap. Het kon me niet schelen. Ik wilde het hele gebeuren gewoon vergeten en niet meer bang zijn.

Natuurlijk liet Charlie dat niet gebeuren. 'Kom op, Jimbo,' zei hij. 'Dit is heftig. Wanneer is er voor het laatst zoiets spannends met een van ons gebeurd?'

Het antwoord was 'nooit'. Ik zei het niet.

Hij hield vol. 'Misschien is er een saaie verklaring. Misschien niet. Misschien zijn Kidd en Pearce bankrovers die in code praten. Misschien zijn het drugsdealers. Misschien zijn het spionnen.'

Ik mompelde iets onsamenhangends.

'Ik ga ze volgen,' zei Charlie. 'Ik wil weten wat ze na school uitvoeren. Ik wil weten waar ze heen gaan en met wie ze praten. Want ze zijn iets van plan. Ik weet het zeker. En ik ga ontdekken wat het is. Dus... doe je mee? Of niet?'

'Charlie,' zei ik, 'ik moet gewoon slapen.'

'Zelf weten.'

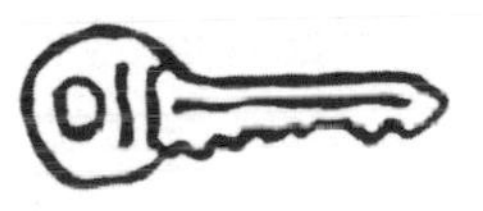

Thuis kreeg ik een van papa's klassiekers voorgezet. Het moest een gehaktschotel voorstellen, maar dan anders. Ik denk dat pap gewoon een berg vlees en aardappelen in een grote ovenschaal had gedaan en er toen een brander op had gezet. Het zag eruit alsof het uit een afgebrand huis kwam.

Ik nam een hap en gaf op. Becky nam een hap en gaf op. Mama zei dat we niet zo moesten zeuren. Toen nam zij een hap, kokhalsde zichtbaar en zei een woord dat ouders echt niet mogen gebruiken als er kinderen bij zijn. En toen namen we allemaal een dubbele portie peren met vla om het gebrek aan een hoofdgerecht goed te maken.

Kraterhoofd kwam na het eten aan de deur, maar mama zei dat hij de flat niet in mocht tot hij mij zijn excuses had aangeboden. Excuses waren niet echt zijn ding, dus dropen hij en Becky diep beledigd af. Toen ging mama de administratie doen in de slaapkamer en papa en ik installeerden ons voor *The Phantom Menace*. Het voelde goed om naast papa te zitten. Net alsof ik weer klein was. Al met al had ik best goede ouders vond ik. Misschien dat papa me af en toe probeerde te vergiftigen, maar hij viel me tenminste nooit aan met een snoeischaar.

Vlak na dat stuk waarin Darth Maul probeert om Qui-Gon Jinn te vermoorden, viel ik in slaap. Papa moet me naar mijn slaapkamer hebben gedragen, want het eerste wat ik weer wist, was dat ik wakker werd na acht uur kwaliteitsslaap en dat ik me heel wat beter voelde.

Charlie was een beetje afstandelijk op school. Ik had hem beledigd omdat ik niet mee wilde doen aan Fase

Twee van het plan. Maar ik had een besluit genomen. Ik had de laatste dagen wel genoeg stress gehad. Ik wilde niet betrapt worden bij het stalken van een leraar. Ik zei tegen mezelf dat ik geduld moest hebben. Charlie zou er snel genoeg van krijgen. Of hij werd gesnapt en naar de directrice gesleept, die hem eindeloos zou laten nablijven. Hoe dan ook, het resultaat was hetzelfde. Het leven zou weer normaal worden.

Na school troffen we elkaar bij het hek, zoals bijna elke dag, en ik vroeg of hij meeging naar de flat.

Dat wilde hij niet. 'Dingen te doen, mensen te volgen,' zei hij. Hij klopte geheimzinnig op zijn jaszak en liep naar de bushalte.

Dus zwierf ik in mijn eentje de stad in, ging naar de boekwinkel en kocht *500 Recepten voor beginners*. Ik verkwistte mijn geld aan cadeaupapier en ging naar huis.

Papa wist niet of hij diep geroerd moest zijn of een beetje beledigd. Ik zei dat ik er een groot deel van mijn zakgeld aan had besteed, dus dat hij het maar beter kon gebruiken. Ik wilde niet dat mijn ouders gingen scheiden. En als dat betekende dat papa moest leren hoe je een goeie gehaktschotel maakt, dan moest hij leren hoe je een goeie gehaktschotel maakt.

'Het is net als een modelvliegtuigje bouwen,' zei ik. 'Je volgt gewoon de aanwijzingen.'

Ik had ongelijk over Charlie. Hij ging zich niet vervelen. En hij werd ook niet gepakt. Elke keer dat ik hem tegenkwam, zei hij: 'Sorry, Jimbo. Met een klus bezig. Geen tijd.'

Ik werd eenzaam. En verveeld. En chagrijnig.

Hoe dan ook, op zondagmorgen zat ik op het muurtje van het park tegenover de flats en probeerde me te herinneren wat ik deed voor Charlie er was en welke van mijn niet-beste vrienden ik zou bellen. Plotseling, vanuit het niets, stond Charlie naast me.

'Man, ik schrok me een ongeluk.'

Met de hand zonder verband trok hij een oranje opschrijfboekje uit zijn zak. Op de voorkant stond het woord SPUDVETCH! geschreven.

'Wat is dit?'

'Doe maar open,' zei Charlie.

Ik sloeg het open. Het was het dagboek van meneer Kidd. Alleen had meneer Kidd het niet geschreven. Charlie had het geschreven.

VRIJDAG

18.30 Supermarkt (worstjes, cornflakes, shampoo, melk, broccoli, wortels en sinaasappelsap).

20.00 Arsenal tegen Everton op tv.

22.00 Zet de vuilnisbak buiten.

'Wacht even,' zei ik. 'Hoe weet jij waar hij naar heeft gekeken op tv?'

'Hij had de gordijnen niet dichtgedaan,' zei Charlie.

'Ja, maar –'

'Ik stond in zijn tuin,' zei Charlie. 'Er zit een gat in de schutting.'

'Jij bent echt gestoord.'

Ik keerde terug naar het opschrijfboekje. Er was een kaart. En er waren foto's.

De tweede helft van het opschrijfboekje was aan mevrouw Pearce gewijd. Dagboek. Kaart. Foto's. Zelfs een kopie van haar bibliotheekkaart. Het was zo'n opschrijfboekje dat je in het nachtkastje van een psychopaat kunt vinden. Naast de voodoopoppetjes en de automatische pistolen. Ik vroeg me af of Charlie ze nog wel allemaal op een rijtje had.

'Ze leven als monniken,' zei hij. 'Ze gaan niet naar de kroeg. Ze gaan niet bij vrienden op bezoek. Ze doen boodschappen. Ze wieden onkruid. Ze wassen de auto.' Hij keek me aan. 'Vind je dat niet verdacht?'

'Nee, Charlie,' zei ik. 'Het is verdacht als je een bunker onder je huis hebt. Het is verdacht als je met een valse baard rondloopt. Het is verdacht als je naar een leeg pakhuis gaat met honderdduizend pond in een koffer.'

Hij luisterde niet. 'Ik moet in een van die huizen naar binnen. Dat van mevrouw Pearce, denk ik. Komen we makkelijker in. Donderdagavond. Tijdens de lerarenvergadering. Ik moet even goed kunnen rondkijken.'

'Nee,' zei ik. 'Nee, nee, nee, nee, nee. Heb je er enig

idee van wat er gebeurt als je gesnapt wordt? De politie. De directrice. Je ouders...'

Het was een stompzinnig, idioot plan dat gelijk stond aan zelfmoord. Daarom is het moeilijk uit te leggen waarom ik besloot om hem te helpen. Ik denk dat het hierop neerkwam. Charlie was mijn beste vriend. Ik miste hem. En ik had eigenlijk niks beters te doen. Echt stompzinnige redenen die totaal geen indruk zouden maken op de politie, de directrice of mijn ouders.

Als ik erop terugkijk, denk ik dat dit het moment was waarop mijn hele leven in het honderd begon te lopen.

Op donderdagvond namen we buslijn 45, stapten uit op de Blikweg en gingen het park in dat achter de tuin van mevrouw Pearce lag. We waren het liefst in het donker gegaan, maar mevrouw Pearce ging nooit uit als het eenmaal donker was, dus we hadden geen keus.

We wachtten tot een groepje jongens bij de schommels was weggegaan en liepen toen naar de schutting. En pas op dat moment kwam er een heel belangrijke vraag bij me op.

'Charlie?'

'Wat?'

'Hoe komen we binnen?'

Hij glimlachte en trok een sleutel uit zijn zak.

'Heb je haar huissleutel gestolen?' Ik kon het niet geloven.

'Nee, Jimbo,' zei Charlie. 'Ik heb hem geleend. Vorige week. Ze legt hem onder de bloempot als ze weggaat. Ik ben even de stad in gegaan en heb een kopie laten maken.'

Ik wist niet of ik nou onder de indruk moest zijn of diep geschokt. Maar, redeneerde ik, als je toch bij iemand ging inbreken was het waarschijnlijk beter om jezelf door de deur naar binnen te laten dan om een raam in te slaan.

'We hebben niet veel tijd,' zei Charlie. 'Kom op.'

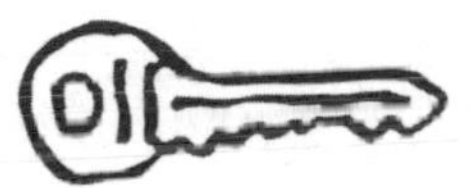

Toen we eenmaal binnen waren, begon ik te begrijpen wat Charlie bedoelde. Het huis was niet gewoon. Het was supergewoon. Griezelig gewoon. Zoals een filmset. Gebloemd servies. Een theetafel. De tv-gids. Een kleine zilveren tafelklok op de schoorsteen. Een geruit boodschappenwagentje bij de voordeur. Het zag er écht verdacht uit.

We trokken lades open. We keken in kasten. We keken onder de bank. Ik had geen idee waar we naar zochten. Aan de andere kant, als we logisch hadden gehandeld, waren we om te beginnen al niet in dat huis geweest.

Met iedere minuut die verstreek, kreeg een klamme angst meer vat op me en toen de klok vijf uur sloeg, pakte ik Charlie zo hard bij zijn arm dat de afdrukken van mijn nagels erin stonden.

Boven was het net zo karakterloos als beneden. Er lag een reisgids voor Schotland. Maar dat was het enige bewijs dat hier een echt, levend, ademend mens woonde.

'Oké,' zei ik. 'We gaan ervandoor.'

'We hebben de zolder nog niet gehad,' zei Charlie.

'Is je muizenbrein nou helemaal op tilt geslagen?' fluisterde ik.

Ja dus. Aan de andere kant wilde ik ook niet alleen naar buiten gaan. Als ik mevrouw Pearce tegenkwam, deed ik dat liever in gezelschap.

Charlie klom op de trapleuning, tilde het kleine witte luik op en duwde het aan de kant.

'Alsjeblieft, Charlie,' zei ik. 'Doe dit niet.'

Maar Charlie luisterde niet naar mijn goede raad. Hij pakte de zijkant van het luik en trok zichzelf op, de duisternis in. Hij verdween even en toen verscheen zijn hoofd weer. 'Nu jij. Klim op de trapleuning.'

Ik klom op de leuning en hij reikte naar beneden en trok me omhoog. Toen ik op de zolder was, pakte Charlie met de hand die goed werkte een zaklantaarn uit zijn achterzak en ik volgde het ovaal van licht toen het langs de balken zwiepte.

Er stond een doos met kerstversiering. Er lagen een stel oude vloertegels. Er stond een lege koffer. Er zat een spin zo groot als een woestijnrat.

'Er is hier niks,' zei ik. 'Alsjeblieft, Charlie. Ik wil nu naar huis.'

Maar hij liep voorzichtig naar de boiler en de stapel oude kartonnen dozen die eromheen stond. Hij begon de dozen een voor een open te maken en de inhoud te onderzoeken. Ik hurkte naast hem en hielp mee, om zo snel mogelijk klaar te zijn.

Ik was degene die hem vond. Een metalen koektrommel die in de ruimte onder de boiler was geduwd. Ik trok hem tevoorschijn, blies het stof eraf, hield hem in de straal van Charlies zaklantaarn en deed het deksel open. Er zaten zeven koperen polsbanden in, een gedetailleerde kaart van een plaats ergens in Schotland en een stuk papier. Het was alleen geen papier. Ik had tenminste nog nooit zulk papier gezien. Het leek op aluminiumfolie, alleen gladder en zachter. Toch voelde ik dat het zo sterk was als leer toen ik het openvouwde. Dit stond erop:

Trezzit/Pearce/4300785

Fardal, rifco ba neddrit tonz bis pan-pan a donk bassoo dit venter. Pralio pralio doff nekterim gut vund Coruisk (NG 487196) bagnut leelo ren barnal ropper donk gastro ung dit.

Monta,

Bantid Vantresillion

‘Bingo,’ zei Charlie.

En precies op dat moment hoorden we beneden mevrouw Pearce de voordeur binnen komen.

‘Niet bewegen,’ zei Charlie.

Hij stapte om me heen en liet het vierkante paneel terugglijden over het luik. We zaten opgesloten op de zolder en een paar seconden lang dacht ik dat ik moest overgeven. Dat zou niet echt hebben geholpen.

‘Charlie?’ fluisterde ik. ‘Wat ben je in vredesnaam aan het doen?’

Hij sloop op zijn tenen om me heen en pakte het vel op dat niet echt papier was.

‘Charlie?’

‘Sssst!’

Hij haalde het oranje *Spudvetch!*-opschrijfboekje uit zijn ene zak en een pen uit zijn andere. Hij hield het opschrijfboekje met de verbonden klauw van zijn rechterhand open, klemde de zaklantaarn in zijn mond en begon de onbegrijpelijke boodschap over te schrijven.

Ik zat met mijn gezicht in mijn handen, haalde diep adem en telde langzaam om mezelf te kalmeren. Het hielp niet. Door het plafond kon ik horen hoe mevrouw Pearce rondscharrelde, deuren opendeed, in de bestekla rommelde, de ketel vulde. Ik bedacht dat we misschien wel op zolder opgesloten zouden zitten tot ze morgen weer naar school ging. En toen bedacht ik dat ik ergens tussen nu en morgenochtend naar de wc zou moeten. En toen bedacht ik dat ik gearresteerd zou worden omdat ik door het slaapkamerplafond van mijn geschiedenislerares geplast had.

'Klaar,' zei Charlie. Hij stopte het opschrijfboekje terug in zijn zak en de boodschap terug in de trommel. Hij duwde hem onder de boiler en zette de rest van de dozen weer op hun plek. 'En nu gaan we zorgen dat we hier wegkomen.'

'En hoe gaan we dat precies aanpakken?' vroeg ik.

Hij ging staan, knakte met zijn knokkels en zei: 'Start je motor, Jimbo.'

Hij zette zijn hand tegen het dak, morrelde en wrikte wat en na een minuut kwam er een dakpan los. Hij duwde zijn arm verder door het gat en frisbeede de dakpan de nacht in. Even was het stil, toen raakte de dakpan een plantenkas en klonk er een oorverdovend glasgerinkel.

'Nu,' zei Charlie. 'Luister.'

We wachtten tot we de achterdeur open hoorden gaan en toen zei Charlie: 'Nu, nu, nu.'

Ik tilde het luik op, duwde het opzij en liet mezelf op de trapleuning zakken. Charlie deed hetzelfde en liet het luik weer op zijn plaats glijden. We gingen net de trap af toen mevrouw Pearce beneden ons de hal in kwam lopen. We verstijfden. Ze had ons nog niet gezien, maar het zou vast niet meer dan een paar seconden duren voor ze zich omdraaide.

Ze stond heel stil naar de voordeur te staren, alsof ze iets probeerde te zien of te horen. Ik voelde hoe één enkele zweetdruppel langs mijn ruggengraat naar beneden gleed.

En toen deed ze iets wat we meneer Kidd ook op het schoolplein hadden zien doen, net nadat zijn ogen blauw waren geworden. Ze legde voorzichtig haar rechterhand over haar linkerpols en tilde een paar seconden haar hoofd op. We konden haar gezicht niet zien en haar ogen ook niet, maar iets in dat gebaar gaf me de rillingen.

Toen was het voorbij. Haar armen vielen langs haar zij, ze pakte de sleutels die naast de telefoon lagen, haalde haar jas van de kapstok, deed de voordeur open, liep naar buiten en deed de deur weer achter zich dicht.

We sprintten de trap af, door de gang en de keuken. We maakten de achterdeur open, renden de tuin door en sprongen over de schutting voor je 'Barnal ropper donk' kon zeggen.

We stopten niet voor we het park uit waren en vijf of zes straten verder waren gerend. We kwamen pas tot stilstand bij een bushalte aan de hoofdstraat. Ik was verstijfd van angst. Ik was buiten adem. Ik keek naar mijn handen en kon ze echt zien trillen.

'Nou,' zei Charlie. 'Dat was fantastisch.'

'De volgende keer, Charlie,' zei ik, 'sta je er alleen voor.'

Ik dacht dat ik thuis wel een kruisverhoor zou krijgen. Over waar ik geweest was. En waarom ik daar zo lang was gebleven. En waarom ik niemand van tevoren iets had verteld. Maar mama was aan het overwerken, Becky was weg met Kraterhoofd en papa werd zo in beslag genomen door zijn gekook dat hij het niet eens had gemerkt als ik een koe mee de flat in had genomen. Ik liet mijn tas vallen en ging zitten. Hij nam een lepel van iets uit de pan op het fornuis en droeg het voorzichtig naar mij. 'Proef eens.'

Dus ik proefde het. En het was echt heel lekker.

'Tomaten-sinaasappelsoep,' zei papa. 'Met basilicum en room en een scheutje cognac.'

'Wauw,' zei ik. 'Nou gaat mama zeker niet van je scheiden.'

Captain Chicken

Een paar dagen later mocht Charlies verband eraf. Om het te vieren besloot zijn moeder dat ik het huis weer in mocht. Hij had blijkbaar genoeg geleden. En zijn lesje geleerd. Het was duidelijk dat ze helemaal niks van haar zoon afwist.

Aan de andere kant gaf het ons de kans om de geheime boodschap aan Charlies vader te laten zien. We wilden natuurlijk niet dat hij door het *Spudvetch!*-opschrijfboekje ging bladeren en zou ontdekken dat Charlie leraren had geschaduwd in de supermarkt. Dus we schreven het over op een nieuw blad papier en lieten dat tijdens het eten aan hem zien.

'Wat denk je hiervan?' vroeg Charlie.

Naar onze mening was de vader van Charlie de slimste man die we kenden. Dus als iemand ons kon helpen om de geheimtaal te ontcijferen, was hij het wel.

Dr. Brooks veegde zijn mond af met de punt van zijn servet, zocht in zijn zak naar zijn leesbril, wurmde hem achter zijn oren en kneep zijn ogen tot spleetjes. 'Een code. Jeetje, wat heerlijk ouderwets.' Hij lachte zachtjes in zichzelf. 'Ik dacht dat kinderen vandaag de dag niks anders deden dan stelen en computerspelletjes spelen. Waar komt dit vandaan?'

'Vertrouwelijk,' zei Charlie.

'Wel, wel,' antwoordde zijn vader en knipoogde naar ons. 'Dit is leuk.'

'Dus...' drong Charlie aan.

Dr. Brooks schudde zijn hoofd. 'Het is allemaal Grieks voor mij, ben ik bang.'

'Grieks?' zei ik opgewonden.

De vader van Charlie keek over de rand van zijn bril. 'Dat is een uitdrukking, Jim. Allemaal Grieks voor mij. Koeterwaals. Onzin. Gebazel.'

'O,' zei ik, lichtjes blozend.

'Dat wil zeggen...' ging hij verder terwijl hij de laatste nieuwe aardappel in zijn mond stopte en tevreden kauwde. 'Coruisk. Dat doet me wel ergens aan denken. Ik bedoel, het kan best toeval zijn, maar ik denk dat ik dat woord al eens ergens heb gehoord. Coruisk, Coruisk, Coruisk... Krijg ik een prijs als ik dit oplos? Fles whisky? Boekenbon?'

'Ik denk dat we wel iets kunnen regelen,' zei Charlie.

Maar de pieper van dr. Brooks onderbrak het gesprek. Hij nam het kleine zwarte dingetje van zijn riem en bestudeerde het. 'Dat is het ziekenhuis, ben ik bang. Het kwaad gunt me geen rust.'

'Tot kijk,' zei Charlie.

'En ik zal nog eens heel goed over dat woord nadenken.' Glimlachend stond hij op en pakte zijn jas van de stoelleuning. 'Maar nu moet ik eerst een lijk gaan inspecteren.'

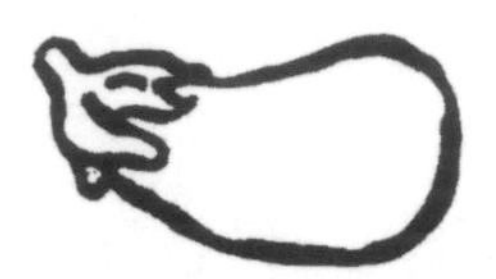

Toen ik bij de familie Brooks wegging, hield de moeder van Charlie me tegen en zei dat ik even moest wachten. Ik dacht dat ze me zou gaan vertellen dat ik haar ongemanierde zoon op het rechte pad moest houden, maar ze kwam even later terug met een groot visvormig metalen ding.

'Ik vergat het bijna,' zei ze. 'Dit is voor je vader. Hij belde op of hij mijn zalmmoussevorm mocht lenen. Nou, Jim, ik weet dat je vader een heel betrouwbare kerel is, maar wil je erop letten dat hij die vorm echt gebruikt om te koken? Ik wil niet dat hij in een miniatuur Wellington-bommenwerper wordt omgesmeed.'

'Ik zal erop letten.'

Toen ik thuiskwam, stond papa met opgerolde mouwen en een gestreept schort voor een grote aubergine in dunne ronde plakjes te snijden.

'Roer je even in die uien, Jimbo?' Hij wees naar een pan op het fornuis.

Ik liet mijn tas vallen, rolde ook mijn mouwen op en schepte de uien gehoorzaam een tijdje om.

'Wat is er met je vliegtuigjes gebeurd, papa?' vroeg ik.

'Vliegtuigjes, Jimbo?' Hij deed de aubergineplakjes in kleine kommetjes met ei en bloem. 'Weet je, ik kan het allemaal al. Vliegtuigen, helikopters, afstandsbedieningen, rolroerbedrading, duikvluchten maken zonder dat de motor afslaat: geen probleem. Ik heb een uitdaging nodig. Je moet jezelf ontwikkelen. Doe het gas onder de koekenpan eens aan. Bedankt. Je moet nieuwe dingen leren. Jezelf scherp houden.'

'Het zorgt ervoor dat je niet meer in je pyjama op de bank zit en naar ontbijt-tv kijkt terwijl iedereen naar zijn werk gaat.'

'Inderdaad,' zei papa.

Mama vond de aubergine met Parmezaanse kaas verrukkelijk. Ik moest haar gelijk geven. Zelfs Becky lustte het. 'Het kan ermee door,' zei ze nors. En dat is een groot compliment van een puber die van deathmetal houdt.

Papa zat de hele maaltijd dom te glimlachen, alsof hij net een Oscar had gewonnen. En mama glimlachte terug alsof ze hem net had leren kennen en ontzettend verliefd was geworden. Op een bepaald moment hielden ze zelfs elkaars hand vast aan tafel. Ik werd er een beetje misselijk van, maar ik had natuurlijk niks te klagen.

Het enige zure moment kwam toen Becky naar de kast ging om een fles ketchup te halen. Papa zei tegen haar dat ketchup een belediging was voor de kok. Ik dacht even dat het een vechtpartij zou worden, maar ze keek de tafel rond, zag dat het drie tegen één was en besloot haar verlies te nemen.

Na het eten vluchtte ik naar het balkon voor als papa en mama echt zouden gaan zoenen en ik moest overgeven. Becky kwam al snel achter me aan en zei: 'Wat is er met hem aan de hand?'

'Met wie?' vroeg ik.

'Met papa, dombo,' zei ze. Ze stak haar sigaret aan en liet de lucifer op het balkon van mevrouw Rudman vallen. 'Al dat cordon bleugedoe.'

'Ik heb een kookboek voor hem gekocht,' zei ik.

Ze keek me vreemd aan. 'Dus het is jouw schuld.'

'Ik denk het wel,' zei ik trots.

'God,' verzuchtte ze, 'het lijkt wel of-ie in een vrouw verandert.'

Ik klopte Becky op haar rug. 'Vrouwen die gaan

werken. Mannen die koken. Je moet het onder ogen zien, zusje. Dit is de moderne tijd.'

Ik vond het heel raar om die maandag les te krijgen van mevrouw Pearce. Ik vroeg me steeds af of ze wist dat we in haar huis waren geweest, of ze iets vreemds had ontdekt, of we onder verdenking stonden. Maar ze gedroeg zich niet anders dan anders. Dus ik werd snel rustiger en een beetje zelfvoldaan. We hadden het hem gelapt. Zij had misschien een geheim. Maar ons geheim was nog groter. Het was een van de eerste keren in mijn leven dat ik iets wist wat de leraar niet wist.

Meneer Kidd leek ook niet meer zo eng. We hadden ze door. Hij had ons dan wel de stuipen op het lijf gejaagd, maar als hij wist dat we ze op de hielen zaten, zou hij waarschijnlijk zelf de stuipen krijgen.

We vonden onszelf absoluut geniaal.

En het duurde tot zaterdagochtend voor we begrepen dat we het helemaal mis hadden.

Ik stond vroeg op en hielp Charlie met zijn krantenwijk. Toen hij klaar was, fietsten we naar het winkelcentrum voor een laat ontbijt bij Captain Chicken. Ik kocht een aardbeienmilkshake en een stuk appeltaart. Charlie koos voor kalkoennuggets en een kop zwarte koffie, want dat vond hij deftig staan.

'Verdere ontwikkelingen?' vroeg ik.

Hij pakte het oranje *Spudvetch!*-opschrijfboekje en deed het open bij de bladzijde met de kopie van de geheimzinnige boodschap.

'Ik heb alles gegoogeld,' zei hij. 'Fardal is een achternaam. Rifco maakt badkamerkastjes. Bassoo is de naam van een beek in Montana. En Pralio verkoopt sportspullen.' Hij nam een klein slokje van zijn zwarte koffie. 'Aan de andere kant kun je in google elke lettercombinatie invoeren: je vindt altijd wel wat. Maar er is wel iets interessants. Weet je nog dat papa zei dat Coruisk hem bekend voorkwam?'

'Hm.' Ik blies bellen in mijn milkshake.

'Nou –' zei Charlie. Toen hield hij op.

'Wat?' vroeg ik.

Hij keek over mijn schouder. Ik draaide me om. Een man in een heel duur lichtgrijs pak kwam van de toonbank naar ons toe lopen met een papieren bekertje, een servet en een hamburgerdoosje. Hoewel de tent om deze tijd redelijk uitgestorven was, ging hij op de lege stoel aan het eind van ons tafeltje zitten.

Hij was vijftig of zestig en idioot lang. Zijn gezicht was gebruind en rimpelig, alsof hij het grootste deel van zijn leven buiten had doorgebracht. En al droeg hij een pak, zijn kortgeknipte grijze haar had iets alarmerend militairs.

Hij trok zijn pak recht, deed het doosje open, ontvouwde zijn servet, nam een slokje warme chocolademelk en begon zijn kipburger op te eten terwijl hij zijn gesteven witte manchetten zorgvuldig uit de buurt van de uiensaus hield.

'Pardon,' zei Charlie. 'We willen graag een beetje privacy. Als u het niet erg vindt.'

Hij zei niks. Hij keek naar Charlie. Hij keek naar mij. Hij at zijn mond leeg. Hij veegde zijn mond af met zijn servet. 'Jullie vinden jezelf behoorlijk slim, of niet?'

Hij had een bekakte stem, zo'n stem die klassieke muziek aankondigt op Radio 4. Hij klonk niet als iemand die gewend was in Captain Chicken te ontbijten.

Ik zei niks. Charlie liet het *Spudvetch!*-opschrijfboekje weer in zijn zak glijden. 'Soms zijn we slim,' zei hij. 'Soms zijn we dom. Dat ligt er maar aan.'

De man glimlachte en nam nog een hap van zijn burger. Charlie en ik begonnen ons achterwerk richting gangpad te schuiven.

'Ik weet niet precies hoeveel jullie weten,' ging de man verder. Hij spoelde de burger weg met een nieuwe slok warme chocolademelk. 'Jullie weten een beetje. Dat is zonneklaar.'

Hij was duidelijk niet de eerste de beste gek.

'De Wachters hebben mij een paar dagen geleden over jullie verteld. Sindsdien worden jullie in de gaten gehouden. Zij denken dat jullie niet gevaarlijk zijn. Ik ben er niet zo zeker van.'

De Wachters? In de gaten gehouden? Gevaarlijk? Ik voelde het gebouw naar één kant overhellen. Of was ik het zelf? Ik pakte de zitting van mijn stoel vast om overeind te blijven.

'De Wachters worden zenuwachtig.' Hij veegde de broodkruimels van zijn zijden das. 'De Wachters houden er niet van als mensen zich met hun zaken bemoeien. En als jullie zo doorgaan, besluiten ze misschien wel dat ze actie moeten ondernemen.'

Hij liet het woord 'actie' in de lucht hangen.

'Wie bent u?' vroeg Charlie.

Ik schopte hem onder de tafel. Ik wilde dat dit gesprek voorbij was. En wel nu.

Maar Charlie trok zich er niks van aan. 'Met welk recht komt u ons hier vertellen wat we wel en niet mogen doen?'

Ik schopte Charlie voor de tweede keer.

En op dat moment zag ik het weer, een fractie van een seconde. Een fluorescerend blauwe trilling in de ogen van de man. Hij glimlachte. 'Wie ik ben, is niet belangrijk. En ik ga het jullie ook niet vertellen. Er is maar één ding belangrijk en dat is dat jullie stoppen met jullie spelletjes.'

Terwijl hij die woorden uitsprak, trok hij een van zijn manchetten op en duwde de top van zijn wijsvinger op het tafelblad. Ik duwde mezelf verder achteruit op mijn stoel. De top van zijn vinger straalde een griezelig neonblauw licht uit. En het plastic tafelblad begon onder zijn vinger te verschroeien en te smelten.

'Het is heel eenvoudig,' legde hij uit terwijl hij zijn hand over de tafel bewoog. 'Je hebt een keus. Je kunt je goed gedragen. Of je kunt de gevolgen dragen.'

De lucht vulde zich met zwarte rook en de stank van brandend plastic. Hij sneed gewoon de tafel in tweeën. De hitte van zijn gloeiende vinger vrat als een soldeerbout door het blad.

Toen hij klaar was, konden we door de snee in het midden van de tafel zijn zwarte, gepoetste schoenen zien.

'Begrijpen jullie dat?'

Ik knikte.

'Ja,' zei Charlie. 'We begrijpen het.'

En toen deed de man wat we Pearce en Kidd ook hadden zien doen. Hij legde zijn rechterhand over zijn linkerpols. Het had er steeds uitgezien alsof ze zichzelf wilden kalmeren. Nu zag ik wat ze echt deden. Om zijn linkerpols zat een koperen band, precies dezelfde als die we op zolder bij mevrouw Pearce hadden gevonden. Hij drukte er kort op met de vingers van zijn rechterhand en liet hem toen los.

'Goed.' Hij stond op. 'In dat geval zeg ik jullie goedendag. Charles... James...'

En daarmee was hij verdwenen.

We zaten er een paar seconden als verdoofd bij. Toen keek Charlie naar beneden en zei: 'Dit ruikt heel, heel smerig,' en een puisterige kerel met een pet van Captain Chicken op zijn hoofd kwam op ons afgelopen terwijl hij zei: 'Wat hebben jullie verdomme met mijn tafel gedaan?'

We sloegen op de vlucht.

Vijf minuten later zaten we op een bank in het kleine parkje voor de flats.

'Holy Moly!' zei Charlie.

'Holy Moly stinkende olie!' antwoordde ik.

We waren even stil. Toen zei Charlie: 'Zag je wat hij deed met die polsband?'

'Ja,' zei ik. 'Kidd deed het ook. En Pearce.'

'Ik weet het.' Hij viste in zijn zak en toen lag hij ineens in Charlies hand – een polsband.

'Heb je er één gejat?' vroeg ik ongelovig. 'Uit de doos op zolder? Charlie, dat is echt een heel slecht idee.'

'Beetje laat,' zei Charlie. 'Ze had een hele berg. Ik hoopte eigenlijk dat ze ze niet zo vaak telde.'

'Charlie, idioot dat je bent.' Mijn hoofd stroomde vol gruwelijke beelden. De gruwelijkste was er een van mijzelf, in tweeën gezaagd door een neonblauwe vinger. 'Gooi hem weg. Gooi hem nu weg. Als ze erachter komen...'

'Oké,' zei Charlie. 'Ik snap wat je bedoelt. Maar eerst... een klein experiment.'

Hij duwde op de armband. Niets. Hij kneep erin. Niets.

'Die vent maakte geen grapjes,' drong ik aan. 'Alsjeblieft, Charlie. Hou d'r mee op.'

Toen deed hij hem om zijn linkerpols, legde zijn rechterhand eroverheen en duwde erop.

'Krijg nou wat!' siste Charlie en trok zijn hand terug alsof hij net een elektrische kookplaat had aangeraakt. Hij deed hem af en gaf hem aan mij: 'Probeer maar.'

'Echt niet,' zei ik, mijn handen afwerend omhoog. 'Geen haar op mijn hoofd.'

'Doe hem nou gewoon om,' drong hij aan terwijl hij mijn arm vastpakte. 'Dit is belangrijk.'

'Ik verzette me nog even en gaf het toen op. Ik huiverde en mijn spieren verstrakten toen Charlie het ding om mijn pols liet glijden.

'Raak hem nu aan.'

'Doet het pijn?'

'Nee, het doet geen pijn, mietje.'

Ik raakte hem aan met de vingers van mijn rechterhand en er raasde een schel gekrijs door mijn hoofd, alsof er ergens tussen mijn oren een straaljager landde. Daarop volgden een paar klikjes. Toen hoorde ik een stem zeggen: 'Gretnoid?'

Ik draaide me bliksemsnel om. Ik wilde zien wie er tegen me praatte. Maar er was niemand. We waren alleen in het park, op Bernie de dakloze na die in de hoek onder een heg lag te slapen.

'Adner gretnoid?' zei de stem. 'Gretnoid? Parliog mandy? Venter ablong stot. Gretnoid?'

Het kwam uit mijn eigen hoofd. Het was alsof er een koptelefoon rechtstreeks in mijn hersens was geplugd. Ik haalde mijn hand weg en rukte de band af.

Charlie knikte. 'Heftig, hè?'

Ik besloot dat het hoog tijd was om naar huis te gaan en even te gaan liggen.

Frambozenschuimtaart

Ik ging de lift in. Na mij stapte een oude vrouw in, met twee volle boodschappentassen. Was zij een Wachter? Zou ze de lift laten stoppen en me aanvallen met een lichtgevende vinger? Ik boog een beetje door mijn knieën om te kijken of ze een koperen polsband droeg. Ze wierp me een ongeruste blik toe en wist niet hoe gauw ze op haar verdieping de lift uit moest komen.

Waren Pearce en Kidd de Wachters? Waren er nog meer? En waarom bewaakten ze ons?

Ik ging de lift uit en rende over de galerij, vond mijn sleutel, stak hem onhandig in het slot, rende naar binnen en sloeg de deur achter me dicht.

'Gaat het, Jimbo?' vroeg mama, met een oranje gieter in haar hand.

'Nee,' zei ik. 'Nee, het gaat niet goed met me.'

'Wat is er aan de hand?' Ze zette de gieter neer op het telefoontafeltje.

Ik staarde haar aan. Wat kon in vredesnaam zeggen? Ik wilde niet met mijn verhaal naar de politie. Of naar de directrice. Of naar een dokter.

Mama gaf me een knuffel. 'Hé. Je kunt het mij wel vertellen. Dat weet je toch.'

Ik mompelde wat.

'Heb je iets stoms uitgehaald?' vroeg ze. 'Of heeft iemand anders iets stoms met jou uitgehaald?' Ze is echt goed in dit soort dingen.

'Een heel klein beetje van het eerste,' zei ik. 'Maar vooral het tweede.'

'Nou, vertel me dan maar over het tweede. Dat is het belangrijkst.'

Ik mompelde weer.

'Word je door iemand gepest?'

Ja, dacht ik, dat is eigenlijk een goeie omschrijving. Ik knikte.

'Wil je dat ik met een van je leraren ga praten?' vroeg mama.

Ik schudde mijn hoofd.

Ze haalde haar hand door mijn haar. 'Ze doen dat omdat ze zwak zijn. Dat weet je toch wel? In hun hart zijn pestkoppen eigenlijk lafaards. Ze voelen zich alleen maar veilig als andere mensen bang voor ze zijn.' Ze pakte me bij mijn schouders en keek op me neer. 'En als je toch wilt dat ik naar school kom, of papa, dan hoef je het alleen maar te zeggen, oké?'

'Bedankt,' zei ik.

'Hé, Jimbo!' Papa stak zijn hoofd om de keukendeur. 'Help je me even om het menu voor morgenavond te bedenken? Ik heb een goede opvolger nodig voor de zalmmousse en de eend. Het wordt spectaculair, echt spectaculair.'

Ik bladerde door *500 Recepten voor beginners*, stemde voor de frambozenschuimtaart en klopte daarna op Becky's kamerdeur.

Ik moest met iemand praten. Ik moest onmiddellijk met iemand praten. En ik moest met iemand praten die het niet gelijk ging doorvertellen aan de directrice, de politie of het dichtstbijzijnde gekkenhuis. Helaas had ik in die categorie niemand anders dan mijn zus. Ze was geen ideale keuze, maar ik was ten einde raad. Als ze alleen maar 'Wat vreselijk' zou zeggen, of 'Maak je geen zorgen', dan zou ik me misschien al ietsje beter voelen.

'Ja?' zei ze.

Ik duwde de deur open en stapte naar binnen.

'Becky?' zei ik en ik ging op haar bed ging zitten. 'Ik moet met je praten.'

'Waarover?' vroeg ze knorrig. Starend in de spiegel deed ze haar zwarte eyeliner op.

'Dit klinkt waarschijnlijk heel dom...'

'Dat is niks nieuws,' zei ze terwijl ze haar ogen afmaakte. Ze begon haar haren naar achteren te borstelen. 'Dus zeg het maar gewoon.'

'Ik zit in de problemen.'

'Ze gaan je zeker van school sturen?' lachte ze.

'Kop dicht en luister!' snauwde ik.

Er was iets in mijn stem waardoor ze begreep dat dit serieus was. Ze legde haar kam neer, draaide zich om en keek me aan.

'Ik ben een en al oor, broertje van me.'

'Je kent mevrouw Pearce en meneer Kidd?'

'Ik zit al acht jaar op die school, Jimbo.'

'Oké, oké,' zei ik verontschuldigend. 'Nou, ze zitten...' Ik haalde diep adem. 'Ze zitten achter Charlie en mij aan. Ze praten in een raar taaltje met elkaar als er niemand bij is. Ze hebben koperen polsbanden die boodschappen hun hersens in sturen.' Ik kakelde maar door, ik kon niet meer stoppen. 'Ze worden de Wachters genoemd. Tenminste, ik denk dat ze de Wachters worden genoemd. Maar de Wachters kunnen ook iemand anders zijn. En we waren ze aan het bespioneren. En toen kwam die heel rare vent naast ons zitten in Captain Chicken. En hij zei dat we moesten ophouden met spioneren. En zijn vinger gloeide en hij sneed ermee door de tafel...'

Ik stokte. Becky keek me aan alsof ik een tapdansende hamster op mijn hoofd had.

'Becky, Becky,' stamelde ik. 'Ik weet dat het ongelooflijk klinkt, maar het is waar. Echt. Ik zweer het.'

Ze staarde me nog een paar seconden aan en zei toen langzaam: 'Ik weet niet waar je op uit bent, Jim. Ik heb je maar wat wijsgemaakt over dat van school sturen. Het was een grap, oké? En je verdiende niet beter. Maar ik ga dit geleuter nu niet geloven zodat jij wraak kunt nemen. Kap ermee. Je bent boos op me. Prima. Ik bied mijn excuses aan. Einde verhaal.'

Ze pakte haar lippenstift en draaide zich weer om naar de spiegel.

Ik probeerde niet eens om te slapen. Ik wachtte tot de anderen allemaal naar bed waren gegaan. Toen sloop ik mijn kamer uit, maakte een broodje cheddar met aardbeienjam, ging voor de tv zitten en ontdekte dat de dvd-speler stuk was.

Ik keek naar de hoogtepunten van het wereldkampioenschap schaak. Ik keek naar een programma van de Open Universiteit over varkensziekten. Ik keek het eerste kwartier van een krakerige zwart-witfilm die *Son of Dracula* heette. Maar ik moest de tv uitdoen toen hij van een kasteelmuur kroop en in een vleermuis veranderde. Ik deed de radio aan. Ik speelde vier potjes patience. Ik speelde scrabble tegen mezelf. Ik loste het makkelijke kruiswoordraadsel in de krant op.

Om halfacht 's morgens kuierde papa in zijn ochtendjas de keuken in, zag me eerst niet en toen wel en zei: 'Goeie genade, Jimbo, jij bent voor dag en dauw op. Voor de verandering. Vol levensvreugde, hè? Je kunt niet wachten om aan de dag te beginnen.'

En toen begon hij een ontbijt te maken van verse koffie, grapefruitpartjes, croissants, bosbessenjam en een omelet met wilde paddenstoelen.

Pas toen mama en Becky uit hun kamers tevoorschijn waren gekomen, voelde ik me veilig genoeg om te slapen. Ik ging naar de woonkamer, plofte op de bank en raakte in coma.

Mama maakte me zeven uur later wakker en zei dat Charlie aan de telefoon was. Hij moest me dringend spreken.

Ik ging rechtop zitten en wachtte een paar seconden tot ik me weer kon herinneren wie ik was, waar ik was, en wat voor dag het was. Ik stond op en strompelde naar de hal.

'Jimbo?' vroeg hij.

'Hmm...' bromde ik. 'Charlie?'

'Ja ja, ik ben het. Luister...'

'Yep.'

'Je moet z.s.m. hiernaartoe komen.'

'Hoe laat is het?' vroeg ik.

'Halfzes. Schiet een beetje op. Papa heeft de puzzel opgelost. Weet je nog? Coruisk?'

'Wat betekent het dan?'

'Dat vertel ik wel als je hier bent,' zei Charlie.

Ik keek op. Mama stond iets verderop in de gang en bewoog haar opgestoken vinger heen en weer. Achter haar stond papa te sloven boven een heet fornuis.

'Sorry, Charlie,' zei ik. 'Ik herinner me ineens dat het papa's grote avond is. Zijn spectaculaire diner.'

'Jimbo,' drong hij aan. 'Dit is belangrijk.'

'Ik weet het, ik weet het,' zei ik verontschuldigend. 'Maar deze maaltijd betekent heel veel voor hem. Kan het niet wachten?'

'Jee, Jimbo, ik dacht dat we...' zijn stem stierf weg. 'Oké. School. Morgen. Dan praten we.'

'Zeker.'

Een klik en hij was weg.

De maaltijd begon met zalmmousse op een bedje van groene salade met zelfgemaakte haverkoekjes. Hierop volgde de eend á l'orange met geroosterde aardappelen en in honing geglaceerde wortels. Als dessert hadden we de frambozenschuimtaart die ik had voorgesteld. Het eten was uitzonderlijk goed. En omdat papa in zo'n buitengewoon goede bui was, mocht ik een glas wijn van hem. Een uur of zo kon ik mezelf ervan overtuigen dat ik de ontmoeting in Captain

Chicken maar had verzonnen. Ik dacht niet aan mevrouw Pearce of meneer Kidd. Ik dacht niet aan zolders of verbrand plastic. Ik was bij mijn familie. En ik hield van mijn familie. Alleen niet van Becky. Ik haatte Becky. Maar het was heel normaal om je zus te haten.

Ik voelde me heel gewoon en veilig. En al die dingen samen maakten dat ik om tien uur naar bed ging en sliep als een os.

Vaarwel, Charlie

Charlie was niet op school. Ik had een vroege bus genomen en wachtte bij het hek. Achthonderd mensen liepen me voorbij. Maar geen Charlie. Ik bleef waar ik was tot de bel ging en liep toen met lange passen naar de hoofdingang.

Misschien was hij ziek. Misschien deed hij net alsof hij ziek was omdat hij thuis aan het een of andere slimme plan wilde werken. Er was duidelijk een rationele verklaring. Ik wist alleen nog niet welke.

Toen deed de directrice een mededeling tijdens de dagopening en wist ik dat er echt iets niet in de haak was.

Nadat ze ons de plannen voor de komende sportdag had verteld, tikte meneer Gupta haar op de schouder en fluisterde iets in haar oor.

'O ja,' zei de directrice, 'ik vergat bijna te zeggen dat mevrouw Pearce en meneer Kidd allebei ziek zijn. Hun lessen worden vandaag waargenomen door twee heel aardige invallers, meneer Garrett en juffrouw

Keynes.' Ze knikte in de richting van de twee nieuwe gezichten die er aan het einde van de rij stafleden tussen waren gepropt.

Er was iets helemaal mis. Dit was té toevallig. Ik probeerde mezelf wijs te maken dat Charlie en zijn vader de puzzel hadden opgelost, dat ze naar de politie waren gegaan en dat meneer Kidd en mevrouw Pearce al in de gevangenis zaten of op weg waren naar het dichtstbijzijnde vliegveld. Maar dat leek niet erg waarschijnlijk.

Ik kon me niet concentreren. Meneer Kosinsky en meneer Garrett lieten me allebei nablijven en het kon me gewoon niks schelen.

Na de lunch deed ik alsof ik migraine had en ging naar de ziekenboeg. Ik kreeg twee paracetamols en een beker thee en bleef overdreven kreunen tot ze papa belden dat hij me moest komen halen.

Ik ging de hele terugreis in de bus door met overdreven kreunen. Toen we bij de ingang van de flat kwamen, zei ik papa dat het me speet, dat ik het later allemaal uit zou leggen, rende naar de fietsenstalling, haalde mijn fiets van het slot en verbrak vast een snelheidsrecord met de rit naar Charlies huis.

Ik reed hun hek door, remde keihard en slipte zodat er een hoop grind tegen de auto van dr. Brooks spatte. Ik liet de fiets vallen, rende naar de deur en drukte op de bel.

Na een paar seconden zag ik de gedaante van mevrouw Brooks door het matglas opdoemen en de deur zwaaide open. Ze sprong op me af en schreeuwde: 'Waar kom jij vandaan, jij stomme, egoïstische, gedachteloze kleine –' Toen stopte ze. 'O, jij bent het.'

Er verschenen twee handen om de schouders van mevrouw Brooks die haar zo voorzichtig opzij schoven alsof ze een onontplofte bom was. De handen waren van dr. Brooks.

'Jim,' zei hij met een lege blik. 'Kom binnen en doe de deur achter je dicht.'

Ik stapte op de mat en wurmde mezelf langs mevrouw Brooks, die begon te huilen. Dr. Brooks duwde me de gang door en de woonkamer in.

'Waar is Charlie?' vroeg ik.

'Charlie is verdwenen,' zei hij.

'Wat?' Ik probeerde verbaasd te klinken.

'Hij ging gisteravond op de gewone tijd naar bed. Hij leek... nou, hetzelfde als altijd. Maar vanmorgen... was hij er gewoon niet meer.' Hij schudde langzaam zijn hoofd. 'We hebben de school gebeld. We hebben kennissen gebeld. We hebben vrienden gebeld. Niemand heeft een flauw idee waar hij naartoe is.'

In de hal hoorde ik de moeder van Charlie akelig jammeren.

'Luister. Jij weet hoe Charlie is. Hij komt in moeilijkheden. Hij speelt stomme spelletjes. Heb jij enig idee waar hij naartoe is gegaan?'

Ik haalde diep adem. Ze zouden denken dat ik gek was. Ik zou problemen krijgen. Maar dit was niet het moment om me daar druk over te maken. 'Charlie belde me gisteravond op,' zei ik. 'Hij zei dat ik naar hem toe moest komen. Hij had me iets belangrijks te vertellen. Ik kon niet komen omdat mijn vader een groot feestmaal aan het koken was. Het ging over die code. Weet u nog? Charlie zei dat jullie het raadsel hadden opgelost.'

'Ja,' zei dr. Brooks. 'Ja, dat was gelukt. Min of meer. Maar dat was gewoon een spelletje. Wil je zeggen dat dat iets te maken heeft met –?'

'Wat was de oplossing van het raadsel?' vroeg ik. 'Hij zei dat u wist wat Coruisk betekende.'

Hij wreef met zijn handen over zijn gezicht. 'Coruisk. Dat is een meer in Schotland. Loch Coruisk. Op het eiland Skye. De nummers erna – tussen haakjes – zijn coördinaten. Je weet wel, daar kun je de plek mee terugvinden op een stafkaart.' Hij aarzelde even. 'Je wilt me toch niet vertellen dat hij naar Schotland is gegaan?'

'Wacht even,' zei ik met mijn hoofd in mijn handen. Alles viel op zijn plek. Mevrouw Pearce ging op vakantie naar Schotland. Ze had een boek over Schotse kastelen. De kaart in het blik met polsbanden onder de boiler – dat was een kaart van Skye.

'Jim?' vroeg dr. Brooks.

'Dit klinkt waarschijnlijk heel idioot.'

'Ga verder,' drong hij aan.

'De code...'

'Ja?'

'Dat was een geheim. Ze wilden niet dat iemand anders ervan wist.'

'Wie, Jim? Wie?'

'Mevrouw Pearce. Meneer Kidd. De geschiedenislerares. De tekenleraar. Ze waren iets van plan.'

'Jim, waar heb je het in vredesnaam over?'

'Ik meen het. En zij waren vandaag allebei niet op school.'

De deurbel ging.

'Ik ben zo terug,' zei dr. Brooks. 'Dat zal de politie zijn.' Hij verdween de hal in.

Ze hadden Charlie meegenomen, ik wist het zeker. Hij had de polsband nog een keer gebruikt. Die stem aan de andere kant... Ze wisten het. Hij was niet braaf geweest. En nu moest hij de gevolgen dragen.

Ik moest hem vinden. Maar daarvoor had ik aanwijzingen nodig. Ik had het opschrijfboekje nodig. En ik kon niemand vertrouwen. Ik rende de hal in en de trap op. Ik kwam bij Charlies kamer. Ik trok laden open. Ik rukte de losse vloerplank eruit. Ik keek in de kast.

Ik vond ze onder het matras. Het oranje *Spudvetch!*-opschrijfboekje en de koperen polsband. Ik propte ze in mijn zak. Ik stond op en zag het robotspaarvarken in de vensterbank. Ik leegde hem in mijn hand. Acht pond vijfenzestig. Ik propte het geld in mijn andere zak.

Toen ik weer naar beneden kwam, stond dr. Brooks midden in de hal te praten met een grote, roodharige politieman.

De politieman keek naar me op. 'De dokter zegt dat je een vriend van Charlie bent.'

'Ja,' zei ik.

'Nou, misschien kun je ons helpen,' zei hij en pakte een klein notitieboekje uit zijn jaszak.

'Vertel hem maar wat je tegen mij zei,' zei dr. Brooks. 'Over mevrouw Pearce en hoe-heet-ie-ook-weer – de tekenleraar.'

De politieman trok zijn wenkbrauwen op. Hij staarde naar dr. Brooks. Hij staarde naar mij. 'Dat klinkt interessant,' zei hij.

'Nou,' begon ik, mezelf dwingend om het hele idiote verhaal nog eens te vertellen.

'Weet je wat,' – de politieman glimlachte – 'Zal ik je even naar huis brengen? Dan kun je me onderweg alles vertellen.'

Dr. Brooks knikte me toe en zei: 'Dat is goed hoor, Jim, ga maar met inspecteur Hepplewhite mee. Wij redden het hier wel. Bel ons alleen even als je nog iets te binnen schiet.'

Ik wilde net zeggen dat mijn fiets op het tuinpad lag, toen inspecteur Hepplewhite zijn hand naar de deurknop uitstak. Een seconde eerder of later en ik had het niet gezien. Zijn manchet ging een stukje omhoog en daar zat hij. Om zijn linkerpols. Een koperen band.

'Nee,' zei ik en stapte achteruit, een trede hoger. 'Bedankt, maar ik red me wel.'

'Maar we hebben belangrijke dingen te bespreken.' De inspecteur begon te grinniken op een manier die niet erg overtuigend was. 'En ik ben straks te laat voor mijn koffie in de kantine. Kom op, ik heb je in een mum van tijd afgezet.'

Ik keek hulpzoekend naar dr. Brooks, maar hij wist niet dat ik hulp nodig had.

'Ik wil het liever niet,' stotterde ik.

De inspecteur kwam op me af en ik voelde zijn hand om mijn arm. 'Als je iets belangrijks weet, moet je dat wel vertellen. Informatie achterhouden is een ernstig vergrijp.'

Ik probeerde me los te trekken, maar hij had de greep van een anaconda. En al die tijd lachte hij zijn brede, vriendelijke politiemannenglimlach vanuit het midden van die oranje baard. Als ik niet snel iets bedacht, zou ik zo in die auto zitten. En als ik eenmaal in die auto zat, zou hij de polsband vinden en het opschrijfboekje en de boodschap. En dan zou ik verdwijnen, net als Charlie. Niemand zou me zoeken. En er zouden geen andere aanwijzingen zijn dan de naam van een Schots meer.

'Oké,' zei ik. 'Ik moet alleen eerst even naar de wc.'

'Ik wacht hier op je,' zei de inspecteur.

Ik liep de keuken in. Er was geen achterdeur. Ik klom op het aanrecht en deed het raam open. Ik stapte net over het droogrek toen ik een grote braadpan omschopte. Ik probeerde hem nog te grijpen, maar ik was te laat. Hij klapte op de vloer met een geluid alsof er op een gong werd geslagen.

Plotseling stond de inspecteur in de deuropening en schreeuwde: 'Hé! Kom terug!'

'Jim!' riep dr. Brooks, vlak achter hem. 'Wat doe je nou?'

Ik gooide mezelf het raam uit met achter me het geluid van brekend servies. Ik kwam op het gras terecht en rolde door terwijl de messen, lepels en vorken me om de oren vlogen.

Ik kwam overeind, sprintte om het huis heen, sprong op mijn fiets, maakte een mooie slip om de inspecteur heen toen hij de voordeur uit kwam rennen, reed terug over het gras, denderde het houten hek door, het park in en verdween tussen de bomen.

Ik liet mijn fiets open staan en sprintte de trappen van de bibliotheek op. Ik sprong door de deuren en stortte me op de informatiebalie. Ik was zo buiten adem dat ik niet goed kon praten. 'Het eiland Skye. Stafkaart. Skye. In Schotland.'

'Dank je, ik weet echt wel waar Skye ligt.' Tergend langzaam haalde de bibliothecaresse een groezelige, witte zakdoek uit haar zak en snoot haar neus. 'Volg mij maar.'

Uiteindelijk kwamen we bij de kaartenafdeling. Ze leidde me naar een plank vol roze ruggen. 'Typisch,' bromde ze. 'Iedereen pakt ze eruit en zet ze in de verkeerde volgorde terug.'

Ik trok zomaar een kaart uit de kast en draaide hem om. Op de achterkant stond een tekening van het hele land, verdeeld in kleine vierkantjes. Kaart 23 en 32 besloegen het hele eiland. Ik liet mijn vinger langs de roze ruggen glijden.

De bibliothecaresse vond 32. Ik vond 23.

'Kan ik ze lenen?' vroeg ik terwijl ik kaart 32 uit haar handen trok.

'Het spijt me,' zei ze, 'kaarten zijn studiemateriaal. Je moet ze hier bekijken.'

Dit was geen dag om me druk te maken om futiele details als bibliotheekregels. Ik zei: 'Mijn naam is Barry Griffin. Ik zit op het Sint-Thomascollege.' Toen sprintte ik naar de uitgang.

Pas toen ik bij de flat aankwam, bedacht ik dat het een heel stom idee was om naar huis te gaan. Inspecteur Hepplewhite wist mijn adres. En als hij het niet wist, zou de vader van Charlie het hem wel geven.

Ik schoot door over de parkeerplaats en kwam tot stilstand achter de garages. Ik stapte van mijn fiets en stak mijn hoofd om de hoek. De parkeerplaats was leeg. De inspecteur was geweest en alweer weg. Of hij was er nog niet. Of hij had niet gedacht dat ik stom genoeg was om terug te komen. Mijn hoofd tolde. Als ik Charlie wilde vinden, had ik spullen nodig die boven lagen. Ik kon in drie minuten terug zijn.

Ik besloot het erop te wagen. Ik rende over de lege parkeerplaats, knalde door de tochtdeuren en gooide mezelf in de lift.

Ik liet mezelf binnen en deed de deur achter me op slot.

Ik ging mijn slaapkamer in. Ik haalde al mijn spaargeld, negentien pond tweeënvijftig, uit de sigarendoos en deed het bij Charlies geld. Ik haalde de oude tent en een van de slaapzakken boven uit de kast in de hal en propte ze in mijn grote sporttas. Ik pakte wat schone kleren, ging naar de keuken en vulde een plastic tas met eten: een heel brood, een pak koekjes, een paar kliekjes van papa en een doos chocolaatjes. Ik trok het dingeskastje open en pakte een zakmes, de verbanddoos, een zaklantaarn en een rol touw. Ik ging terug naar mijn slaapkamer en vond een kompas.

Terwijl ik zo bezig was, viel de koperen polsband uit mijn zak. Ik pakte hem op en keek ernaar. Hadden ze Charlie zo gevonden? Zond hij soms een signaal uit? Ik moest hem weggooien. Maar ik kon hem niet weggooien. Het was mijn enige bewijsstuk, het enige voorwerp waarmee ik kon aantonen dat ik geen gestoorde gek was.

En toen dacht ik er ineens aan. Papa was vorig jaar een vliegtuigje kwijtgeraakt. Die lui van het park hadden de muziektent bekleed met ijzeren golfplaten. Het vliegtuigje vloog erachter, het radiocontact werd verbroken en het stortte neer in de roeivijver. Radiosignalen kunnen niet door ijzer heen. Papa gaf het bewijs door de radio in de oven te stoppen: stilte.

Ik haalde een rol aluminiumfolie onder de gootsteen vandaan, scheurde er een groot vierkant stuk vanaf en wikkelde het een paar keer om de polsband voor ik hem weer in mijn zak stopte.

Pas toen ik klaar was, stond ik stil, luisterde naar het tikken van de klok en het brommen van de ijskast en besefte met een schok dat de flat helemaal leeg was. Geen papa. Geen Becky. Waar waren ze?

Er liep een koude rilling over mijn hele lijf.

Vroem

Ik haalde diep adem. Ze waren gewoon laat, verder niks. Mama was nog op haar werk. Becky was nog op school. En papa zou wel...

Waar zou papa zijn? Ik was ervandoor gegaan. Hij had natuurlijk de school gebeld. Hij had Charlies ouders gebeld. Misschien was hij op dit moment daar. Misschien praatte hij nu met inspecteur Hepplewhite. Misschien was hij wel in de een of andere kelder opgesloten.

Ik belde zijn mobiel. Niks. Ik liep door de woonkamer, deed de glazen deur open, stapte het balkon op en keek over de rand. Misschien was hij nu net op de terugweg. Maar de parkeerplaats was leeg.

Achter me gleed de glazen deur open. Ik draaide me met een ruk om. 'Pap?'

Het was de man van Captain Chicken. Hetzelfde pak. Hetzelfde korte grijze haar. Dezelfde polsband onder dezelfde manchetten.

'Het spijt me, James,' zei hij gladjes. 'Je weet te veel.'

'Waar zijn papa en mama?' zei ik met mijn rug tegen de balustrade, mijn stem plotseling hees. 'Wat heb je met ze gedaan?'

'Je vader is op het politiebureau. Je rende weg voor inspecteur Hepplewhite, weet je nog? Maar ik ben bang dat ze er geen idee van hebben waar je uithangt.' Hij schudde somber het hoofd. 'Je zus is bij die ongewassen vriend van haar.'

'U... u... u...' Ik voelde me heel klein en alleen en heel bang.

'Vaarwel, James. Helaas is dit het stuk waar je doodgaat.'

Ik duwde hem hard tegen zijn borst zodat hij naar achteren wankelde, en greep de balustrade. Misschien kon ik eroverheen klimmen en naar beneden springen, op het balkon van mevrouw Rudman. Ik gooide mijn been eroverheen.

'James, James, James...' verzuchtte hij terwijl hij mijn arm pakte en me het balkon weer op trok. 'Spaar je krachten. Zie je die rode Volvo?'

Ik keek naar beneden. Er stond een rode Volvo bij de ingang van de flat geparkeerd. Een man in een heel duur lichtgrijs pak stond tegen de motorkap geleund. Een tweede man in een heel duur lichtgrijs pak stond vlakbij tegen wat kiezelsteentjes te schoppen.

'Zelfs als je weg zou komen,' zei hij, 'dan zou je de begane grond niet eens halen.'

Mijn lichaam werd slap. Alle verzet leek zinloos.

Toen hoorde ik een bekend geluid. Het was nog

een paar straten verwijderd, maar ik herkende het uit duizenden. Kraterhoofd had de demper eraf gehaald. Het leek wel een Chieftain-tank die zestig kilometer per uur moest rijden. De Moto Guzzi.

'Ik denk dat we dit binnen moeten afhandelen,' zei de man. Hij verstevigde zijn greep en duwde me door de schuifdeur de woonkamer in. 'Waar niemand iets kan zien.'

Ik strekte mijn arm uit en greep opnieuw de balustrade vast. Als ik het maar een paar minuten vol kon houden tot Becky en Kraterhoofd boven waren. Als ik het nog –

'Je begint me nu echt te irriteren,' zei hij. Hij wrikte mijn vingers los en duwde me door de schuifdeur de woonkamer in. Het blauwe licht was weer in zijn ogen verschenen en flikkerde als een bezetene.

Ik greep de gordijnen. Ze raakten van de rails los. Ik greep een leunstoel, maar die viel om. Ik pakte de buffetkast beet en we werden tijdelijk bedolven onder een lawine van balpennen en onderdelen van radiografisch bestuurbare vliegtuigjes en de sierborden die mama uit Kreta en Mallorca had meegenomen. Toen hij me door de hal sleurde, griste ik de briefopener van het telefoontafeltje, draaide me met moeite om en stak hem in zijn been.

Hij zei niets. Hij schreeuwde niet. Hij vertrok geen spier. Hij haalde alleen het mes eruit, bleef staan, pinde me met één hand tegen de muur, kromde de andere als een krab en hield hem op een paar centimeter van mijn gezicht. Vijf hete neonblauwe lichtjes verschenen aan de toppen van zijn vingers en zijn duim.

En precies op dat moment ging de deur open. Becky stapte naar binnen, zag mij tegen de muur gepind staan en gilde als een kat met zijn staart in een bankschroef.

'Wat is er aan de hand?' vroeg Kraterhoofd, die achter haar binnenkwam.

We stonden elkaar alle vier een paar seconden aan te kijken, niet wetend wat er nu moest gebeuren.

Toen hief de man zijn gloeiende hand op naar Kraterhoofd. 'Jij. Uit de weg.'

'Doe iets!' schreeuwde Becky.

Meer had Kraterhoofd niet nodig. Hij veegde het vette haar uit zijn ogen, duwde zijn borst vooruit en zei: 'Niemand zegt tegen mij dat ik uit de weg moet, maat.' Hij strekte zijn handen, kungfu-stijl, en sprong naar voren met een gebrul alsof hij een vliegtuig in mootjes ging hakken.

De man in het pak liet me los zodat hij twee handen vrij had om zichzelf te verdedigen. Kraterhoofd was echt heel goed in dat hele kungfu-gebeuren. Hij gaf de man een felle slag aan de zijkant van zijn nek en die tuimelde achterover door de keukendeur, viel om en zat vervolgens verstrikt in de strijkplank. Ik had Kraterhoofd nog nooit echt gelukkig gezien. Dit was de eerste keer.

Becky greep me bij mijn kraag en schreeuwde: 'Wat is hier verdomme aan de hand, Jimbo?'

'Haal me hier weg!' zei ik hijgend. 'Haal me hier alsjeblieft weg!'

'Wacht!' zei ze. 'Ik wil een verklaring.'

Die kreeg ze niet. Ze kreeg wel twee neonblauwe handen op haar schouders. Eén van de Volvo-mannen was naar boven gekomen omdat het zo lang duurde. In zijn ogen ontploften kleine blauwe vuurpijlen.

'Hé!' gilde Becky en ze tolde om haar as.

Er stonden twee rokende handafdrukken op haar jack en er hing een geur van verbrand leer in de lucht.

'Mijn jack!' krijste ze. 'Moet je kijken wat je met mijn jack hebt gedaan!'

De motorhelm, die nog steeds aan haar hand bengelde, zwaaide met een sierlijke boog over haar schouder, midden op het hoofd van de nieuwe. Die keek scheel, waggelde een beetje en stortte in elkaar.

Becky keerde zich naar me toe. 'Oké, Jimbo, jij je zin,' zei ze snel. 'Je mag het later uitleggen. We gaan ervandoor.'

'Bedankt,' zei ik terwijl ik nog een slaapzak uit de kast trok.

Becky keek naar de tas. 'Waar gaan we naartoe? Buiten-Mongolië?'

'Misschien,' zei ik.

Ik keek om en zag de ijskast kantelen en met een allemachtige rotklap tegen de grond slaan.

'Terry!' riep Becky. 'Alles goed met je?'

Zijn lelijke gezicht verscheen om de hoek van de

deur. 'Zeker weten!' En hij stortte zich weer in de strijd.

Becky pakte zijn helm, gooide hem naar me toe en zei: 'Neem jij deze.'

Ik pakte voor de zekerheid ook zijn jack mee.

Terwijl we de trap af renden, bleef Becky maar zeggen: 'Dit is totale waanzin. Dit is totale waanzin.'

'Ik weet het,' zei ik. 'Ik weet het. Alsjeblieft. Doorlopen.'

We renden de parkeerplaats over en ik begon mijn voorraden in de tassen van de Moto Guzzi te proppen. Pas toen ik ze dichtdeed, herinnerde ik me de tweede man in het heel dure lichtgrijze pak, die nu op ons af kwam rennen.

'Becky!' riep ik. 'Kijk uit!'

Ze draaide zich bliksemsnel om. 'Allemachtig, Jimbo, wat heb je toch een charmante vrienden.'

Ze sprong op de motor. Ik sprong op de motor. Onze achtervolger begreep dat hij ook een vervoermiddel nodig had en hij draaide zich om en rende terug naar de rode Volvo. We maakten onze helmen vast.

'Heb je al een keer op deze motor gereden?' schreeuwde ik.

'Natuurlijk niet. Terry laat niemand erbij in de buurt komen.'

'Godallemachtig.'

'Eens moet de eerste keer zijn!' schreeuwde ze terug.

De Volvo startte, ging krijsend in zijn achteruit en stormde toen als een gevechtsvliegtuig op ons af. Er kwamen zwarte rookwolken van de achterwielen.

'Hou je vast!' riep Becky.

Ik keek omhoog naar de flat en zag een keukenstoel uit een raam vliegen. Toen kreeg mijn hoofd een ruk naar achteren en mijn achterste een ruk naar voren en weg waren we.

Voor iemand die nog moest leren rijden, deed Becky het heel goed. Voor iemand die nog moest leren rijden en die achterna werd gezeten door een kwaaie vent in een rode Volvo, deed ze het fantastisch.

We slingerden en ronkten en slipten. We gingen een stoep op en botsten bijna tegen een ijscokarretje. Ik draaide me om en zag dat de Volvo slingerend, ronkend en slippend in ons spoor bleef. We maakten een schanssprong over een grasheuvel en bleven bedenkelijk lang in de lucht zweven. We klapten op de grond, reden zwaar overhellend om een bushokje heen en waren op de hoofdstraat.

De Volvo ook. Terwijl we snelheid maakten en op de vierbaansweg langs het waterleidingbedrijf en het melkdepot reden, wierp ik nog een blik over mijn schouder en zag de auto op maar een paar meter van ons nummerbord.

'Sneller, Becky!' schreeuwde ik. 'Ze halen ons in.'

Ik weet niet of ze me hoorde. Ik weet niet eens of ze wel van plan was om zoiets gevaarlijks te doen. Hoe dan ook, ik voelde de motor zonder enige waarschuwing ineens naar rechts zwenken, een gigantische verlengde vrachtwagen snijden die vlak achter ons zat, van de weg af gaan en door de struiken de middenberm op rijden.

Ik deed mijn ogen dicht. Takken kletsten frontaal tegen mijn vizier en onder ons bokte de motor als een wild paard. Ik concentreerde me volledig op het binnenhouden van mijn lunch. Ik wilde niet overgeven in een motorhelm.

Toen was er opeens weer asfalt onder de motor. Ik deed mijn ogen open en zag dat we op dezelfde vierbaansweg nu de andere kant op reden. Ik draaide me om op het zadel en ving één korte en laatste glimp op van de rode Volvo op de middenberm, de motorkap netjes om een boomstam gevouwen. Uit de verbrijzelde voorruit stak een bordje omhoog waarop stond: GEEN U-BOCHTEN.

Ik zei tegen Becky dat ze vaart kon minderen.

Tien minuten later stopten we bij een supermarkt. Becky stapte van de motor, gaf mij de sleutels en zei: 'Wacht hier. Ik ben over vijf minuten terug.'

'Maar, Becky...' klaagde ik.

'Luister vriend,' zei ze terwijl ze haar vinger voor mijn neus heen en weer schudde. 'Als ik naar Buiten-

Mongolië ga, heb ik een tandenborstel nodig, eyeliner en een paar schone onderbroeken.'

De weg naar het noorden

Met een tandenborstel, onderbroeken en eyeliner aan boord scheurden we de avondspits in. Ik dirigeerde Becky naar de snelweg en een halfuur later stopten we bij een tankstation om iets te eten, te tanken en een teambespreking te houden.

We laadden ons blad vol roerei, patat en plakkerige cakejes en zochten een plaats bij het raam. We wurmden ons op onze plaats, Becky spieste een patatje, ik nam een slokje van mijn limonade en ze zei: 'Verklaring. Nu.'

Ik begon bij het begin. De grap dat ik van school gestuurd zou worden, het afluisteren van de lerarenkamer, de geheimtaal van mevrouw Pearce en meneer Kidd, Charlie die 'Spudvetch!' zei tegen meneer Kidd, de strooptocht op de zolder van mevrouw Pearce...

Zolang het verhaal duurde, bleef Becky's patatje zweven op de tanden van haar vork, halverwege haar bord en haar mond.

'Halleluja,' zei ze. 'En dit is dus allemaal waar?'

'Natuurlijk. Je hebt die mannen in de flat gezien. Die deden niet alsof, of wel soms?'

Ze ademde lang en fluitend uit en at toen eindelijk haar patatje op.

'Kijk...' zei ik, gravend in een motortas. Ik haalde de polsband tevoorschijn en wikkelde het zilverpapier eraf.

'Doe dit om je pols.'

'Dus dit is dat ding?'

'Ja, dit is dat ding,' zei ik. 'Raak hem nu aan met de vingers van je andere hand. Maar schiet wel een beetje op.'

Ze raakte de koperen band aan en schrok zich een hoedje toen de straaljager tussen haar oren landde. 'Wat de hel...?'

Toen begon de stem te praten. Ze draaide zich bliksemsnel om, net als ik had gedaan, omdat ze dacht dat er iemand vlak naast haar in haar oor stond te praten.

Ik griste de band van haar pols, wikkelde hem weer in zilverpapier en stopte hem terug in de tas.

'Oké, oké, oké,' zei Becky. 'Ik geloof je. God, dat was echt doodeng.'

Ik nam nog een slok limonade. 'En ik denk dat er een soort tracer op zit, dus we kunnen hier niet te lang blijven rondhangen.'

Ze begon aan haar roerei. 'Waar gaan we naartoe?'

'Loch Coruisk,' zei ik terwijl ik nog een keer de tas doorspitte en de stafkaarten op tafel legde.

'Loch wat?' vroeg Becky.

'Loch Coruisk,' zei ik. 'Dat ligt op het eiland Skye.' Ik vouwde kaart 32 uit en legde hem op de tafel.

'Waarom daar?'

'Er zat een boodschap in de koektrommel op de zolder van mevrouw Pearce. Het was in dezelfde taal als die ze in de lerarenkamer hadden gebruikt. Er stond "Coruisk" in. Kijk...' Ik wees naar een kartelige blauwe vlek midden op de kaart.

'Er stond ook een verwijzing naar de kaart in.' Ik groef het *Spudvetch!*-opschrijfboekje op en las de nummers op: 'Vier-acht-zeven-een-negen-zes.' Ik volgde de lijnen naar beneden vanaf de bovenkant en naar het midden vanaf de linkerkant van de kaart. 'Hier.' Waar de lijnen elkaar kruisten, stond een piepklein vierkantje, een aanduiding voor een soort gebouw aan de monding van het meer, waar het in zee uitkwam.

'Ja,' zei Becky, iets dringender dit keer. 'Maar waarom gaan we erheen?'

Ik keek op. 'Ik moet Charlie vinden. En dit is onze enige aanwijzing. In ieder geval de enige die ik kan begrijpen.'

Becky leek niet overtuigd.

'Die boodschap – die was verborgen onder de boiler. Op zolder. Ze wilde echt niet dat iemand hem zou vinden. Het moet wel belangrijk zijn.'

Ik keek weer op de kaart. Het leek wel iets uit *The Lord of the Rings*. Het Loch werd omringd door de Cuillin-heuvels. De top van Druim nan Ramh in het noorden. De top van Sgurr Dubh Mor in het zuiden. Het dichtstbijzijnde dorpje lag dertien kilometer verderop. Er was bijna geen plek te bedenken die meer afgelegen was.

'Weet je wel hoe ver weg dit ligt?' vroeg Becky.

Ik kruiste mijn vingers. Ik had haar nodig. En ik had de Moto Guzzi nodig. 'Hij is mijn beste vriend. En hij is ontvoerd.'

'Misschien moeten we dit aan de politie overlaten,' zei Becky.

'O ja, dat is ook nog zoiets.'

'Wat?' vroeg Becky.

'Er was een politieman bij Charlie thuis.'

'En...?'

'Hij had ook zo'n polsband om. Hij wilde dat ik bij hem in de auto stapte. Ik rende weg en hij werd helemaal gek.'

'Dus de politie zit ook achter je aan?' zei Becky.

'Waarschijnlijk zitten ze nu achter ons allebei aan.'

'Fantastisch,' zei Becky. 'Ik reis met mijn kleine broertje naar Skye op een gestolen motor, zonder rijbewijs, op zoek naar iemand die net zo goed in Portugal kan zitten. Een geheim genootschap van mysterieuze maniakken probeert ons te vermoorden. De politie wil ons arresteren...'

Toen had ik een meevaller. Ik had een beetje met de franje en de siernagels op het jack van Kraterhoofd zitten spelen en merkte toen dat er in een van de zakken een behoorlijke bult zat. Ik stopte mijn hand erin en haalde er een moersleutel uit, een pakje sigaretten, een aansteker, een heleboel vettige pluis... en een portemonnee.

Becky griste hem uit mijn handen. 'Hé. Jij kleine dief.' Maar toen ze hem afpakte, barstte de portemonnee open en werd er een stapel bankbiljetten over de kaart uitgestort.

'Wat heeft hij gedaan?' vroeg ik. 'Een postkantoor beroofd?'

Becky was sprakeloos. Dat had ik nog niet vaak meegemaakt.

'Lelijk, maar rijk,' zei ik, wetend dat ik mijn geluk waarschijnlijk iets te veel op de proef stelde.

Ze luisterde niet. Ze was het geld aan het tellen. 'Tweehonderd. Driehonderd.' Ze was nog lang niet klaar. 'De vieze leugenaar,' bitste ze. 'Hij zei dat hij blut was. Die stinkende, schijnheilige, nutteloze, duivelse, egoïstische...'

Ik liet haar maar uitrazen. Ze moest het even kwijt. En ik genoot er best wel van. Na een paar minuten droogde de stroom op.

Ik pakte een handvol tientjes. 'Dit is wel genoeg om ons naar Skye te brengen, denk je niet?

Becky keek me een paar seconden in stilte aan en siste toen: 'Verdomd als het niet waar is. Als die engerd denkt dat ik naar huis kom rennen om hem te zien, moet-ie zich nog maar eens achter z'n oren krabben. We gaan ervandoor, Jimbo.'

Toen we het tankstation uit liepen, bedachten we ineens dat we nog steeds ouders hadden en dat die op dit moment waarschijnlijk niet al te blij waren. Becky belde ze met haar mobieltje. Gelukkig stond het antwoordapparaat aan.

'Mama. Papa. Becky hier. Ik heb Jimbo bij me. Alles is oké. Maar we kunnen nu niet naar huis komen. Later leggen we alles wel uit. Ciao.'

We gooiden de tank vol, kochten twee zonnebrillen en gingen de snelweg weer op.

Het werd donker en het was nog bijna 500 kilometer naar Skye. We gingen van de snelweg af en reden door een doolhof van kleine landweggetjes tot we bij een klein bos kwamen. We parkeerden de motor uit het zicht, klommen door de struiken en vonden een open plek die groot genoeg was voor een tent.

Er was een bericht van thuis op Becky's mobiel, maar we besloten er niet naar te luisteren. Papa en mama zouden ons vast geen succes wensen tenslotte.

Het eten dat ik had meegenomen was koud en een beetje platgedrukt, maar de restjes van papa's geroosterde aardappelen en frambozenschuimtaart smaakten nog steeds goed.

'Weet je?' zei Becky terwijl ze de kruimels van haar lippenstift veegde.

'Wat?'

'Ik neem terug wat ik over papa gezegd heb.' Ze glimlachte. 'Het kan me niet schelen of zijn hormonen in de war zijn. Zijn kliekjes zijn van topkwaliteit.'

Toen we 's morgens heel vroeg wakker werden, kwamen we erachter dat de stortregens die nacht dwars door het tentdoek waren geslagen. Het vuile water had de onderkant van onze slaapzakken doorweekt. De schoenen die we buiten voor de ingang van de tent hadden gezet, waren bijna opgelost.

'Waarom gebeurt dit ook niet in juli?' zei Becky klaaglijk.

Ik wrong de slaapzakken uit terwijl zij haar make-up bijwerkte. Toen haar gezicht klaar was, haalden we zompend de tent neer, stopten zompend onze spullen in de motortassen, gingen zompend op het klamme leren zadel zitten en reden terug naar de M6. Terwijl ik het glimmende asfalt onder mijn voeten door zag schieten, droomde ik van dekbedden, warme ontbijtjes, grote truien en radiators.

In Carlisle aten we bonen op toast en bleven lang in de toiletten, waar we onze kleren droog bliezen met de handdrogers. Bij Glasgow was de zon doorgekomen. Bij Dumbarton begon ik me weer een beetje mens te voelen.

Het landschap zag er nu anders uit, ouder, rotsiger. We kronkelden zo'n dertig kilometer langs de oevers van Loch Lomond. Links van ons hing mist tussen de hoge heuveltoppen. Rechts lag kilometer na kilometer water, gerimpeld door de wind en bedekt met knokige kleine eilandjes met miezerige boompjes erop.

De weg klom omhoog. Crianlarich, Tyndrum, Ballachulish. De heuvels waren nu kaler. In het zonlicht zag het eruit als een ansichtkaart. In de regen had het op een scène uit een horrorfilm geleken.

Mijn achterwerk begon pijn te doen. We waren al bijna zes uur aan het rijden. Dus ik was opgelucht toen we de heuvels achter ons lieten en omlaag begonnen te rijden naar de zee, naar de Kyle of Lochalsh en de Skye Brug.

We gingen van de hoofdweg af en parkeerden voor een café aan het water. Het was er druk. Er zaten gezinnen op bankjes te picknicken. Kleine kinderen speelden tikkertje langs de kade. Honden werden uit de achterbak van de auto gelaten om in de berm te plassen.

We klommen van de motor, strekten onze pijnlijke benen en kochten toen een ijsje voor onszelf. Meeuwen cirkelden boven ons hoofd. Een vissersboot tufte voorbij.

'Proost!' zei Becky. Ze tikte met haar hoorntje tegen het mijne.

'Proost!' zei ik en een ogenblik was ik Charlie helemaal vergeten. Ik keek Becky grinnikend aan. Ze grinnikte terug. We waren op avontuur. De zon scheen en ik besefte voor het eerst in mijn leven dat ik mijn zus eigenlijk heel graag mocht.

Toen zei ze: 'Ik vraag me af hoeveel tijd we hebben.'

'Wat bedoel je?' zei ik.

Ze staarde naar het asfalt en mompelde: 'Het waren akelige lui, Jimbo. We weten niet eens of Charlie nog wel leeft.'

'Hou je mond,' zei ik zacht. 'Hou alsjeblieft je mond.'

We aten ons ijsje op, deden onze helm weer op, startten de motor en voegden ons weer in de rij voor de brug.

De gevaarlijke trede

Op Skye stopten we bij een supermarkt voor brood, koekjes, lippenstift, aardbeienjam en cheddar. Becky pakte haar mobiel en ontdekte dat ze geen ontvangst had. We waren nu officieel aan het eind van de wereld.

We reden de heuvels in. We zagen een paar dorpjes. We zagen een paar auto's. Maar we zagen vooral bergen, gras, meren, koeien, schapen, rotsen en nog meer bergen. Het zag eruit als een land waar de tijd had stilgestaan. Als je je oren afsloot voor het gebrul van de Moto Guzzi, kon je je voorstellen dat er een dinosaurus uit een dal tussen twee nevelige toppen zou komen sjokken.

Ik dacht aan de mannen in de dure lichtgrijze pakken. Ik dacht aan meneer Kidd en mevrouw Pearce. En ik kon ze geen van allen met deze plek in verband brengen. Ik begon me af te vragen of het allemaal een vergissing was, of de kaart niet gewoon een kaart was, overblijfsel van een vakantie vol bezoekjes aan

Schotse kastelen. Ik begon me af te vragen of Charlie misschien echt in Portugal was. Of dat er misschien nog iets ergers was gebeurd.

Het begon te schemeren. Ik was moe en wilde slapen. Maar ik wist dat ik niet zou kunnen slapen. Niet hier. Niet voordat ik Charlie weer gezien had.

Uiteindelijk draaide de weg een heuvel af om uit te komen in het kleine vissersplaatsje Elgol. Met huizen aan twee kanten van de weg begon ik me minder zenuwachtig te voelen. Hier scheen licht uit een slaapkamerraam. Daar was een bloementuin. Het leek bij na normaal.

We gingen een laatste hoek om en Becky liet de motor tot stilstand komen op een kleine stenen pier die in het water uitstak. Op de pier stond een oude man kreeftenfuiken en rollen touw op te ruimen. Zijn cockerspaniël zat rustig naast hem en krabde zachtjes snuivend met zijn poot achter zijn oor.

Becky deed haar helm af en leunde naar me toe om iets te zeggen.

'Die kant moeten we op,' zei ze en wees met haar gehandschoende hand langs de kust. 'Kom, we gaan een plek zoeken om te kamperen.'

In de zonsondergang was de lucht purper en oranje. De silhouetten van de bergen staken als grillig afgescheurde repen zwart papier af tegen de avondlucht.

'Ik wil nu gaan,' zei ik vastbesloten.

'Jimbo, je bent stapelgek,' zei Becky. 'Het is nog

twaalf kilometer. Het is een onherbergzaam pad. Het wordt al donker.'

'Je hebt ze gezien in de flat, Becky,' zei ik. 'Ze zitten achter ons aan. Ik weet het zeker. We hebben geen tijd te verliezen. We moeten Charlie helpen. Ik ga. Met of zonder jou.'

'Oké, oké,' zei Becky knorrig. Ze stapte af en hielp me om alle spullen uit de motortassen in de sporttas te stoppen. 'Ik ga mee. Ik heb ook geen keus. Mama vermoordt me als ik terugkom en zeg dat ik je ben kwijtgeraakt.'

Ik schudde haar hand en zei: 'Je bent een echte kameraad.'

'Ik ben een rund,' antwoordde ze.

We hadden net de motor op slot gedaan en de tas opgepakt en liepen naar het voetpad, toen we werden aangesproken door de oude man van de kreeftenfuiken.

'Goedenavond,' zei hij met een zwaar Schots accent.

'Goedenavond,' antwoordden wij wantrouwig.

'Ah, stadsmensen,' zei hij. Hij keek naar mijn sportschoenen en Becky's zwarte nagellak. 'Jullie gaan toch niet in die uitrusting lopen, hè? Terwijl de nacht valt.'

'Nee, we gaan een film kijken,' snauwde Becky. Haar 'uitrusting' was altijd een gevoelig punt.

'Ja, we gaan lopen,' legde ik beleefd uit. Ik wilde weg. Ik wilde hier niet staan praten met vreemden.

'Naar Camasunary? Of helemaal naar Coruisk?' vroeg hij.

Toen bracht hij heel langzaam zijn pijp naar zijn mond zodat de mouw van zijn oliejekker naar beneden zakte en de band om zijn linkerpols zichtbaar werd. Ik deed een stap achteruit.

'Naar Coruisk,' zei Becky kortaf. 'Dus we hebben geen tijd om hier te staan kletsen.'

Ik verwachtte dat de oude man me bij mijn nekvel zou grijpen. Ik verwachtte dat zijn vingers zouden oplichten. Maar het gebeurde allebei niet. Hij glimlachte. Toen grinnikte hij.

'Nou, veel plezier dan. Het is een mooie stikdonkere nacht voor een wandeling over het klifpad.' Toen draaide hij zich om en liep de weg op. De cockerspaniël trippelde achter hem aan.

'De polsband...' zei ik tegen Becky.

'Ik zag hem,' antwoordde ze.

'Ze weten dat we hier zijn,' fluisterde ik. Ik keek om me heen om te zien of er iemand binnen gehoorsafstand was, hurkend achter een kreeftenfuik of een omgekeerde boot.

'Misschien,' zei Becky weer. 'Misschien was het wel gewoon een koperen armband, Jimbo. Zoals mensen die dragen. Misschien zijn we een beetje paranoïde aan het worden.'

'Misschien,' zei ik. Maar ik had gelijk. Ik wist het. Hij was een van hen. Zoals hij ons die polsband had getoond. Het lachje. Aan de andere kant, als hij een van hen was, zaten wij dus op het goede spoor. Coruisk was belangrijk.

Maar waarom had hij ons niet tegengehouden? Misschien wist hij dat we het toch niet zouden redden over dat pad in het donker. Misschien wist hij dat we niks zouden vinden als we er aankwamen. Misschien wist hij dat we aan het eind werden opgewacht door anderen, die hun neonblauwe vingers stonden te rekken in het winderige donker.

'Nou,' zei Becky, 'waar wachten we nog op?'

Ik volgde haar op haar schreden.

We hadden de zaklantaarn niet nodig. De kreeftenvisser had het fout. De nacht was niet stikdonker. We waren tien minuten op weg toen de wolken in grijze flarden uiteendreven en een perfecte volle maan boven de zee onthulden. Het voelde alsof we door een scène van *Son of Dracula* liepen. Maar we konden tenminste wel zien waar we onze voeten neerzetten.

Dat was maar goed ook. Het pad was smal en stenig en uitgehakt in het steile, met struiken begroeide klif die hoog boven het water uit rees. We moesten onder verwrongen boomstammen door kruipen, over grote keien klauteren en afgebroken takken wegduwen. De zee lag links van ons als een groot vel bladzilver. Rechts van ons klommen rotsen, bomen en struiken de nachthemel in.

In de baai dreef een eiland als een grote, gepokte walvis. Daarachter alleen de oceaan, duisternis en sterren. Alles leek verbijsterend groot. Ik voelde me bang en alleen, zelfs met Becky vlak voor me. Als we struikelden, zouden we halsoverkop in het ijzige water storten en worden meegesleurd. Niemand zou er ooit achter komen.

Tot overmaat van ramp waren mijn stadse sportschoenen niet geschikt voor zo'n wandeltocht en kreeg ik een grote, pijnlijke blaar op mijn rechterhiel. Ik propte de schoen vol papieren zakdoeken, zette mijn tanden op elkaar en marcheerde manhaftig verder.

Na twee uur bereikten we de baai van Camasunary. Het pad daalde en het klif liep uit in een licht glooiende weide met stekelig gras. We beklommen een kleine heuveltop en het strand lag voor ons. We staken een klein stroompje over en liepen het veld in.

'Niet te geloven!' zei ik.

'Wel heb ik ooit...' echode Becky.

Het veld zat barstensvol konijnen. Honderd. Tweehonderd. Ik was nooit bang geweest voor konijnen. Maar dit stelletje gaf me de rillingen, zoals ze daar zaten met hun poederdonsstaarten en hun mallotige oren, rechtstreeks uit een horrorfilm die *Rabbit* heette.

'Laten we doorlopen,' zei ik.

We begonnen aan het tweede, veel lastiger gedeelte van het pad.

Alleen was er eigenlijk niet echt een pad meer. Er waren stenen, brandnetels, doornstruiken, bomen en modder en mijn blaar werd steeds erger.

Na een halfuur slippen, struikelen, foeteren en strompelen kwamen we vrij onverwacht tot stilstand. Voor ons lag een gladde, steile wand van lichte steen bedekt met klompjes mos, als een reusachtige granieten neus. Geen modder, geen takken, geen graspollen. Niks. Hij begon hoog boven onze hoofden en daalde steil af tot een scherpe rand die boven het zwarte water hing. De kaart noemde dit 'De gevaarlijke trede'. Je begreep meteen wat de kaart bedoelde.

'Jij eerst,' zei ik. 'Jij bent ouder.'

'Bedankt, Jimbo,' antwoordde Becky. 'Je bent een echte heer.'

We konden er niet omheen. We konden er niet onderdoor. De helling was gewoon te steil. We moesten eroverheen. Becky schoof omhoog. Ik schoof haar achterna. We lagen met ons gezicht op de rots, armen en benen gespreid als een zonnebadende hagedis, en schuifelden tastend zijwaarts.

Het ging goed. Mijn sportschoenen waren waardeloos om op te lopen, maar de rubberzolen plakten wel behoorlijk goed aan de rots vast. Helaas deed het mos dat niet. Halverwege de oversteek zette ik mijn voet op een klomp mos en toen ik mijn gewicht verplaatste, scheurde het onder me weg.

Ik schoot naar beneden, alleen afgeremd door mijn knieën, mijn vingers en het puntje van mijn neus. Mijn hart stond stil en mijn voeten schoten over de rand de ruimte in. Ik hoorde Becky gillen en deed mijn ogen dicht, wachtend op de onvermijdelijke duik op de puntige rotsen die half onder het ijskoude water lagen.

Ik kwam heel plotseling tot stilstand, mijn benen bungelend in de lege lucht. Mijn vingers zaten vast in een spleet, een scheur in het oppervlak van de steen. Het was een smalle spleet en mijn vingers deden pijn en ik zou het niet lang vol kunnen houden. Ik probeerde mijn benen weer op de rots te zwaaien, maar ik hing al te ver over de rand.

'Jimbo!' riep Becky. 'Hou vol!' Ik keek op. Ze schoof langzaam langs de grote neus naar me toe met de sporttas over haar schouder.

'Er zit hier een spleet,' zei ik, en op dat moment gleed een van mijn handen los en ik gilde.

De punt van haar voet vond de spleet. Ze nam de sporttas van haar schouder en liet hem zakken. 'Pak vast!' zei ze. Ik pakte hem vast. 'En nu trekken.'

Zij trok. Ik trok. Het hengsel rekte verschrikkelijk uit. Ik zwaaide mijn rechterbeen omhoog. Eén keer. Twee keer. Drie keer. Eindelijk kreeg ik hem over de rand van de rots. Ik rukte en trok nog een keer. Zij trok nog een keer en ik kreeg mijn andere voet over de rand en lag plat op de helling, hijgend.

'Jemig, Jimbo,' zei ze. 'Wil je me dat nooit meer aandoen? Nooit meer.'

We wachtten tot we weer op adem waren gekomen en begonnen toen opzij te schuiven, met onze tenen in de spleet. Zo rondden we de hele rots, kregen een knoestige wortel te pakken en zwaaiden onszelf omhoog op de veilige, klamme grond.

'Holy hotdogs, Batman,' zei Becky. 'Dat was op het nippertje.'

Ik bracht mijn hand naar mijn gezicht en besefte dat mijn neus bloedde waar ik hem als remblok had gebruikt.

'Nou,' zei ze. 'Zo spannend is het op school nooit, of wel soms?'

Coruisk verraste ons. Het pad daalde af naar zeeniveau, waar een klein kanaal richting kust ons de weg versperde. We draaiden om en volgden het kanaal landinwaarts. We klommen een rotsige heuvel over en toen doemde het Loch dreigend op. Miljarden liters water strekten zich voor ons uit.

'Coruisk,' zei Becky. Ze stond op de rotsige bult alsof ze net de Mount Everest had beklommen. 'Het is ons gelukt, jochie.'

Rond het hele Loch rezen de Cuillin-heuvels op in de nacht. De middelste strook water lichtte blauw op in het maanlicht, maar de verre oevers verdwenen in de roetzwarte schaduwen van de toppen. Hoog boven ons vormden zich mistpluimen op de toppen van de bergen, om vervolgens weg te zweven in de met sterren bezaaide nachthemel.

De zee had groot geleken, zoals die zich uitstrekte tot aan de horizon. Maar door de omvang van de afgetekende bergen leek het Loch nog groter. De stilte was volkomen. Op zee waren golven. En je hoorde het geluid van water dat tegen de rotsen klotst. Het water hier was zo glad en onbeweeglijk als kwik. Dit was geen plek waar mensen in het donker nog hoorden te zijn.

'Zo,' zei Becky. 'Wat wordt onze volgende truc?'

Ik dacht aan Charlie. 'Ik weet het niet.' Ik kon de tranen in mijn ooghoeken voelen prikken. We hadden er twee dagen over gedaan om hier te komen. We hadden minstens twee keer ons leven op het spel gezet. Ik wist niet wat ik had verwacht te vinden. Maar ik had in ieder geval verwacht íéts te vinden. En dit was de leegste plek die ik in mijn hele leven gezien had.

'Kop op,' zei Becky. 'We gaan iets te eten maken.'

We sjokten langs het kanaal, staken over met behulp van een serie stapstenen en zochten naar een goede plek om te kamperen. Onderweg vonden we de ruïne van een oud huisje. Even leek het of dit huisje ons een soort aanwijzing kon geven waarom Coruisk zo belangrijk was. Maar het was gewoon een ruïne. Vier bouwvallige muren, een deuropening, twee raamgaten, een lemen vloer. We klommen omhoog naar een vlak stuk gras, goed beschermd tegen nieuwsgierige ogen en de aanwakkerende wind door een grote eivormige zwerfkei.

Achter de grote steen zette Becky de tent op. Ik haalde wat pleisters en ontsmettende doekjes en betadine tevoorschijn en paste eerste hulp toe op mijn hiel en neus. Toen we eenmaal lekker in onze slaapzakken waren gekropen, deelden we de kaas en het brood.

Weldoorvoed en met zere voeten lagen we op onze rug door de opening van de tent naar de sterren te kijken. Becky deed de oortjes van haar iPod in en luisterde naar Evil Corpse. Of Gangrenous Limb. Of Dead Puppy. Of wat ze de laatste tijd ook had gedownload.

Ik probeerde me de namen van de sterrenbeelden te herinneren. De Beer. De Ploeg. Orion. Uiteindelijk ritste ik de tent dicht, trok de slaapzak goed in mijn nek en deed mijn ogen dicht.

'Uh-uh-uh-uh,' kreunde Becky zonder enige melodie. Toen stopte ze. Ze haalde een van de dopjes uit haar oor, schudde het, stopte het weer terug en trok het er weer uit. Ik hoorde een vreemd borrelend geluid uit de piepkleine witte speaker komen. 'Hij is kapot,' zei ze bits. 'Alweer.'

'Je horloge,' zei ik hijgend. 'Kijk naar je horloge.'

Ze keek naar haar horloge. De wijzerplaat gaf licht en de wijzer tolde achteruit.

'Au!' gilde ze en trok hem van haar pols. 'Hij is heet.'

Ergens in de sporttas ging de zaklantaarn aan en uit.

Twee seconden later baadde de hele tent in een stralendblauw licht.

Met de metro

Dus daarom had de oude man gegrinnikt. Ze waren daarbuiten. Hij hoefde ons niks aan te doen. Dat zouden zijn vrienden wel doen. Bij Coruisk. Kilometers van de bewoonde wereld vandaan. En er zou niemand zijn om ons te redden.

Ik keek naar Becky. Ze was wit. En ze zat te trillen. Of ik. Het was moeilijk te zeggen. Het was midden in de nacht. Maar onder het canvas leek het wel lunchtijd. In Griekenland. In de zomer.

'Becky,' zei ik, 'ik ga naar buiten.' Ik moest weten wat er aan de hand was. Ik moest weten wie, of wat, daarbuiten was en wat het met ons van plan was. En als er een mogelijkheid was om te vluchten, dan wilde ik vluchten.

'Wacht op mij.' Becky voelde in haar jaszak, haalde er een groot zakmes uit, klapte het open en hurkte naast me, bij de rits.

Ik deed de tent open. Het onaardse blauwe licht stroomde door de kier en we moesten onze ogen afschermen. We staken ons hoofd naar buiten en keken omhoog.

'Allemachtig,' mompelde Becky.

Een reusachtige kolom van blauw licht, zo breed als een metrowagon, ging recht omhoog de nachthemel in. Ik wurmde me de tent uit en hurkte in de schaduw van de zwerfkei. Becky hurkte naast me. Tegelijkertijd stonden we langzaam op en tuurden over de rand.

Zelfs op dertig meter afstand konden we de hitte voelen. De basis van de kolom rees op uit de ruïne waar we eerder langs waren gekomen en liet de afbrokkelende stenen zo helder stralen dat ze wel radioactief leken. Boven de ruïne zwiepten golven helder licht met grote snelheid omhoog. Ik pakte Becky's arm voor een beetje steun.

Plotseling klonk er een oorverdovend *boem!*, anders dan elke andere *boem!* die ik ooit had gehoord. Mijn hoofd ging ervan trillen. Mijn tenen gingen ervan trillen. Het licht ging uit. De *boem!* echode terug van de verre bergen en stierf langzaam weg. Stilte. We konden alleen nog het bloed in onze oren horen bonzen.

Toen mijn hart weer een beetje rustiger klopte, keerde ik me naar Becky. 'Nou, ik denk dat dit wel de plek moet zijn.'

'Kijk', fluisterde Becky terwijl ze me in mijn arm kneep. 'Daar beneden.'

Ik volgde haar blik naar het smalle kanaal dat het

meer met de zee verbond. De schim van een man kwam over de rotsige grond naar de ruïne gelopen. Achter hem in het kanaal had een klein bootje aangelegd, met de schim van een tweede man aan boord.

De eerste man bereikte de ruïne, draaide zich om, zwaaide naar de man in de boot en stapte naar binnen. We hoorden de buitenboordmotor rochelend aanslaan en de boot gleed weg van de oever. Er klonk een kort, bruisend geluid en vanuit de ruïne schoot de kolom van stralendblauw licht opnieuw de lucht in.

'O mijn God!' zei Becky.

De man was de ruïne in gelopen. Dan was hij nu geroosterd, dat kon niet anders. Ik droomde. Dit moest wel een droom zijn.

Het licht scheen. De golven helder licht zwiepten omhoog. De *boem!* dreunde. Mijn tenen trilden. Het licht ging uit. De *boem!* echode de vallei rond. En de stilte keerde terug.

Ik kokhalsde. 'We hebben net gezien hoe iemand gedood werd, toch?'

'Ieuw,' zei Becky. 'Dat was niet goed.'

'We moeten erheen,' zei ik.

'Waarom?' vroeg Becky.

'Omdat... omdat...' zei ik. 'Omdat dat het is. Dat is de reden waarom we hier zijn. We kunnen hier niet blijven zitten en er alleen maar naar kijken.'

'Nee,' zei Becky. 'Ik heb je hier niet helemaal naartoe gebracht om je levend te laten koken.'

'Maar wat moeten we dan doen?'

'We blijven hier zitten en kijken ernaar. Kijken of het nog een keer gebeurt.'

Dus we bleven zitten en keken ernaar. Lange tijd. Een heel lange tijd. En er gebeurde niks meer. Becky wandelde een eindje weg om te plassen en kwam weer terug. Ik viel in slaap en werd wakker toen het tintelen in mijn ledematen te erg werd.

'Oké,' zei Becky. 'We gaan een kijkje nemen. Hier word ik helemaal gek van.'

We slopen als commando's door het donker. Van de helling af, van de ene schaduw naar de andere. Een boom. Een rots. Een aardwal.

Ik dacht aan papa, de modelvliegtuigjes en de aubergine met Parmezaanse kaas. Ik dacht aan mama en haar elegante mantelpakjes. Ik dacht aan mijn kleine kamer met de inktvisposter en het kartonnen skelet. Ik dacht aan de zwaartekracht en de industriële revolutie. Het leek allemaal heel ver weg. Als iets wat in een miniatuurdorpje gebeurt, piepklein en onnozel en niet helemaal echt.

Het was geen angst. Het ging veel verder dan dat. Het was alsof ik wegliep na een auto-ongeluk. Ik voelde me geschokt en high en vol adrenaline.

We kwamen aan de achterkant van de ruïne en hurkten neer. En dat was het rare. De stenen waren koud. Er kwam ook geen geluid van binnen. Ik keek naar Becky. Ze keek terug. Het lemmet van haar zakmes flitste op in het licht van de sterren.

Ze knikte en haar lippen vormden het woord: 'Nu.'

We stonden op, liepen op onze tenen naar de voorkant van de ruïne en sprongen door het gat dat vroeger de voordeur was.

Binnen was het volkomen leeg. Maanverlichte muren. Vieze plavuizen. Wat onkruid. Een paar bloemetjes. Niks verbrand. Geen verschroeide aarde. Geen krokante menselijke overblijfselen. Niks. Het zag er net zo uit als toen we er eerder die avond langs waren gekomen.

Dood of niet, de man was verdwenen. Ik keek omhoog. Was hij verdampt door die blauwe straal? Wat zou er met ons gebeuren als hij weer aanging? Verdampten wij dan ook?

'Becky,' zei ik zenuwachtig, 'misschien moeten we hier maar niet blijven rondhangen.'

Ze luisterde niet. 'Er moet hier een weg naar buiten zijn. Een verborgen deur. Een geheim luik.'

'Becky, alsjeblieft.' Ik trok aan haar mouw.

Ze schraapte met haar laars over de grond. Ze ging met haar hand over de stenen muren. Ze snuffelde tussen de schriele planten die in de hoeken groeiden.

'Ik ga weg,' zei ik. 'Ik vind het hier helemaal niks.'

'Geef me de polsband.'

'Dat lijkt me niet zo'n goed idee.'

'O nee?' zei Becky. 'Bedenk jij dan maar iets beters. En geef mij intussen die polsband.'

Ik gaf haar de polsband.

Het gebeurde zodra ze het zilverpapier eraf wikkelde. De binnenkant van de ruïne werd verlicht door vijftig speldenprikken van groen licht in de stenen muren. Naast de deur verscheen een paneel.

Ik griste de polsband terug en wikkelde hem weer in zijn folie.

'Daar zit een knop,' zei Becky.

'Als je er maar niet op drukt.'

'O, goed,' zei Becky. 'Dus we gaan hier alleen maar staan kijken. Daar komen we niet veel verder mee, of wel?'

Ze drukte op de knop. De grond onder mijn voeten viel weg en ik voelde dat ik werd neergelaten in een ronde schacht.

'Help!'

'Jimbo!' gilde Becky. Ze gooide zich op de grond en greep mijn hand, maar ik daalde te snel en onze vingers werden uit elkaar getrokken.

Ze stond weer op en drukte als een razende op de knop. Het was te laat. Er gleed een dikke plaat over mijn hoofd, die het gat dichtte en het licht buitensloot. Ik bonsde op de muren en schreeuwde.

Boven me hoorde ik Becky grommen terwijl ze zonder enig effect met het deksel worstelde. Een tl-buis floepte aan. Ik keek rond. Ik stond in een hoge witte keramische koker. De wanden waren zo glad als een spiegel en aan één kant was een bedieningspaneel met knoppen, wijzers, schermen en meters. Boven me werd de koker strak afgesloten door de stalen plaat.

'Jimbo...! Jimbo...! Jimbo...!' hoorde ik het gesmoorde geluid van Becky's stem.

Ik staarde naar de knoppen op het bedieningspaneel. Misschien zou een ervan de deur openen. Maar welke? En waar waren de andere voor? Als ik de verkeerde knop indrukte, werd ik misschien geplet of veranderde dit ding in een magnetron. De koker kon vol water stromen. Of zwavelzuur. Of kakkerlakken.

Ik had moeite met ademhalen. Raakte de zuurstof op, of was ik gewoon aan het hyperventileren? Ik rommelde in de zak van Kraterhoofds jack en haalde zijn moersleutel eruit. Ik sloeg zo hard ik kon tegen de muur. Het galmde als een kerkklok en ik bezeerde mijn vingers. Ik had niet eens een kras gemaakt.

Ik stopte de moersleutel terug, greep de polsband en pakte hem uit. Het bedieningspaneel kwam meteen tot leven. Op een blauw scherm flitsten cijfers en symbolen tevoorschijn. Wijzers schokten en beefden. Knoppen gloeiden.

'Jimbo...! Jimbo...!' schreeuwde Becky nog steeds in de verte.

'Ik ben er nog,' schreeuwde ik terug. 'Ik probeer eruit te komen.'

Ik wikkelde de polsband weer in zijn folie en stopte

hem in mijn zak. Toen pakte ik het oranje opschrijfboekje. Ik sloeg het open op de bladzijde waar Charlie de code had opgeschreven die we op de zolder van mevrouw Pearce hadden gevonden: *Trezzit/Pearce/4300785*.

De coördinaten in de boodschap waren van Coruisk. Dit was Coruisk. Misschien betekenden de andere nummers ook iets.

'Jimbo...!' schreeuwde Becky. Door het plafond van de koker was haar stem bijna onhoorbaar.

Ik kruiste mijn vingers en drukte de nummers in op het hoofdpaneel. 'Vier... drie... nul... nul... zeven... acht... vijf...'

Het woord 'Pearce' flitste kort over het scherm, gevolgd door een stroom van letters en symbolen. Ik hoorde het diepe dreunen van een aandrijfmechanisme onder mijn voeten.

Ik drukte mijn rug tegen de ovalen wand. Ik ritste het jack van Kraterhoofd dicht, plantte mijn voeten stevig op de grond, haalde een keer diep adem en zette me schrap.

Een paar seconden gebeurde er helemaal niks. Toen hoorde ik de *boem!*, maar dit keer veel dichterbij en nog veel harder. Ik dacht dat mijn trommelvliezen zouden scheuren. Elk atoom in mijn lichaam trilde. Ik was verschrikkelijk zeeziek. Mijn kleren waren doorweekt van het zweet. Ik deed mijn handen over mijn oren en viel op de grond en krulde me op tot een bal.

De atomen in mijn lichaam stopten met trillen. Mijn oren deden nog steeds pijn, maar de misselijkheid trok weg. Ik kwam langzaam overeind. Het woord ZARVORIT flitste over het scherm en er klonk een kort *ding-dong* als van een deurbel. Ik hoorde een zacht gesis en toen ik me omdraaide zag ik dat een zijkant van de koker opengleed. De koker was naar beneden gegaan. Ik was in een kelder. Of een bunker. Alleen stroomde er licht door de opening, wit, stralend en helemaal niet ondergronds. Ik greep de moersleutel stevig vast.

Het was niet echt. Dat kon niet. Ik keek een enorme witte hangar in. Ik keek omhoog. Geen Coruisk. Geen Becky. Geen grond. Alleen een glad wit plafond, twintig meter boven mijn hoofd.

Rondom waren grote, hoge ramen. Buiten de ramen was een zwarte hemel vol sterren. Dit was geen kerker. Dit was geen kelder of bunker. Ik had vast door een soort tunnel gereisd. Ik was ergens anders op Skye. Of ik was op het vasteland. Of ik was op het walvisvormige eilandje in de baai.

En toen zag ik ze. Ze zaten vlakbij aan een lange tafel. Mevrouw Pearce. Meneer Kidd. De man van Captain Chicken. Inspecteur Hepplewhite. Ze droegen allemaal een lang purperen gewaad.

Dit kon niet waar zijn. Over een paar minuten zou de wekker gaan en dan ging ik naar beneden en stond er een uitgebreid warm ontbijt voor me klaar. Worstjes, toast, roerei.

Captain Chicken stond op en kwam naar me toe lopen.

'Worstjes, toast, roerei,' zei ik tegen mezelf. 'Worstjes, toast, roerei.'

'Welkom, James,' zei hij. 'En goed gedaan. Echt heel goed gedaan.'

De moersleutel viel uit mijn hand en sloeg galmend tegen de grond. Er was geen warm ontbijt. Dit gebeurde echt.

'Fantabangle,' zei meneer Kidd tegen mevrouw Pearce.

'Mockety,' zei mevrouw Pearce tegen meneer Kidd. 'Parlant mockety.'

Captain Chicken pakte mijn hand en schudde hem. 'Ik denk dat we het allemaal eens zijn. Jij bent precies de persoon die we nodig hebben.'

'Een zeer ondernemende jongeman,' zei inspecteur Hepplewhite.

'Tussen haakjes, mijn naam is Vantresillion,' zei Captain Chicken. 'Bantid Vantresillion.'

Ik kreeg eindelijk mijn stem terug. 'Waar ben ik?'

'In het Sagittarius Elliptisch Dwergstelsel.'

'Wat!?'

'Dat is ongeveer zeventigduizend lichtjaren verwijderd van het centrum van jouw Melkwegstelsel,' zei Captain Chicken. 'In de richting van de Grote Magelhaense Wolken.'

'Wat!?' Hij was gek.

'Het wordt vaak verward met het Sagittarius Onregelmatig Dwergstelsel,' zei hij. 'Door jullie, bedoel ik. Niet door ons. Het Sagittarius Onregelmatig Dwergstelsel is, o... veel verder weg. En nu...' Hij wreef zich in zijn handen. 'Nu kun je wel wat slaap gebruiken, of ik moet me heel sterk vergissen.'

Hij draaide zich om en zwaaide met zijn hand over een soort rood worstje dat op tafel lag. Ik hoorde een *plop!* achter me en draaide me om.

En toen besefte ik dat ik misschien echt niet ergens anders op Skye was, of op het vasteland, of op het walvisvormige eiland. Want er kwam een spin op me af gelopen. Een grote spin. Ongeveer zo groot als een golden retriever. Met het gezicht van een geplette aap.

Ik gilde en stapte achteruit.

'Maak je geen zorgen,' zei Captain Chicken. 'Ze is volkomen ongevaarlijk.'

De reusachtige aapspin kwam naar me toe en stak een harige poot uit. 'Geef me de vijf, schat.'

Ik hoorde mezelf een laag, kreunend geluid maken.

'Ik heet Ktop-p-pááãçôñiïî,' zei de spin, 'Maar daar breek je je tong over. Noem me maar Britney.'

'Ga met de spin mee,' zei Vantresillion. 'Ze brengt je naar je kamer.'

De spin legde een harige poot onder aan mijn rug en duwde me zachtjes naar de deur. ‘Gaan met die banaan!’

Korte harige staarten

We gingen de gang op en sloegen links af. Ik probeerde uit alle macht om niet naar de spin te kijken. Alles was wit en glad en hightech. Er waren geen lampen. Het plafond gloeide alleen een beetje. Er waren geen deuren. De muren gingen gewoon open als er mensen in purperen gewaden in of uit wilden.

'Deze kant op,' zei Britney.

We gingen een hoek om.

'Jij komt van Aarde,' zei Britney terwijl ze naast me trippelde. 'Ik heb gehoord dat het daar verrukkelijk is. Je moet me alles vertellen. Over doedelzakken. Over Buckingham Palace en Elvis Presley. Over veerdiensten over het kanaal en over Abba.'

'Waar is Charlie?' vroeg ik.

'Wie is Charlie?' vroeg Britney.

We liepen nog een paar minuten in stilte verder.

'Is mijn Engels niet fonkelend?' zei Britney. 'Swing ik wel? Zeg het me recht voor z'n raap. Jij kunt het weten. Jij eet aardappels.'

Ik was heel moe. Ik had slaap nodig en had geen zin in ruzie.

'Ja hoor, je swingt.'

'Ik ben hot!' De reusachtige aapspin zwaaide met twee poten in de lucht.

We sloegen nog een hoek om en de witte muren gingen over in glas. We liepen over een soort overdekte brug tussen twee gebouwen. Ik stopte en keek naar buiten. En het was werkelijk waar nog enger dan toen ik Britney voor de eerste keer zag. Want overal om ons heen, naar alle kanten, strekte zich een dorre, bruine woestijn uit. Geen bomen, geen gras, geen water. Alleen rotsen en stof en kraters. Ik draaide me om en keek aan de andere kant van de brug naar buiten. En wat ik daar zag was nog veel en veel erger. Er waren twee zonnen. En ze waren groen. En ze draaiden langzaam om elkaar heen.

Ik wankelde achteruit en greep de leuning om niet te vallen. 'Dus, dit is...'

'Het Sagittarius Elliptisch Dwergstelsel. Honderd procent.'

'Maar... maar... maar... hoe kom ik hier?'

'Geen idee.' Britney hield twee harige poten omhoog. 'Ik heb kleine hersens.'

'Dus hier... deze planeet... dat is...'

'Plonk.'

'Sorry?'

'Plonk.' Britney wees met een poot naar het dorre landschap. 'Zo heet het hier.'

'Plonk!?' zei ik. 'Dat is de stomste naam voor een planeet die ik ooit heb gehoord.'

Britney keek uitgesproken beledigd. 'Het is een heel ernstige en glanzende naam in onze taal.'

'O.'

'Jullie hebben er één die Maan heet,' zei Britney. Dat is ons woord voor lucht uit je achterste laten ontsnappen. Kom nu mee.'

'Dus die mensen...' zei ik. 'Mevrouw Pearce en Vantredinges...'

'Geen mensen,' zei Britney. 'Korte harige staarten en geen navel.'

Ik dacht aan mevrouw Pearce met een korte harige staart en werd er misselijk van. Dus ik besloot om geen vragen meer te stellen.

'Ho daar!' zei Britney.

We waren gestopt bij een stuk wand met de woorden AFDELING AANKOMST erop. Britney zei: 'Snekkit,' toen klonk er een *plop!* en er verscheen een deur in de wand. 'Hierlangs.'

We stapten een andere gang in. Hier leken de mensen bijna normaal. Niemand had een purperen gewaad aan. De meesten droegen een T-shirt en een spijkerbroek. Ik zag een DOCTOR WHO T-shirt. En een T-shirt met XENA WARRIOR PRINCESS erop. Een vrouw met een grote boezem droeg een T-shirt waarop stond ZET JE LASER OP VERDOVEN.

'Je kamer,' zei Britney. 'Snekkit!' De wand ging met een *plop!* open. 'Ga naar binnen, mensjongen.' Ze was duidelijk nog steeds beledigd vanwege het Plonk-gedoe.

Ik ging naar binnen. Er stond een wit bed. Er stond een witte ladekast. Er was een wit hokje met een witte wc en een witte wastafel.

Britney zei: 'Nu snurken. Deur sluiten.' Opnieuw een *plop!* En de deur verdween.

'Hé!' Ik sloeg op het harde witte vlak. Ik schreeuwde dertig keer 'Snekkit!', steeds met een ander volume en een ander accent, maar het was nutteloos.

Ik ging uitgeput op het bed zitten. Op de ladekast stond een waterkoker met een assortiment theezakjes en voorverpakte koekjes, net als in een hotelkamer.

In de eerste la lag een kleine bibliotheek aan jongensboeken: soldatenverhalen, voetbaljaarboeken, strips over superhelden...

In de derde lag alleen een stel gekleurde ballen, zo groot als knikkers. Ik pakte er een paar op. Terwijl ik dat deed, liet ik er één vallen. Een rode. Alleen viel hij niet. Hij bleef gewoon in de lucht zweven. Ik stak mijn hand uit en raakte de bal behoedzaam aan. Ik kon hem makkelijk in beweging brengen, maar vallen deed hij niet. Hij bleef gewoon in de lucht hangen. Het was alsof ik een muntje over de tafel duwde, alleen driedimensionaal. Waar ik hem ook heen schoof: hij bleef er bewegingloos hangen.

De andere ballen waren net zo. Ik kon er in de lucht elke vorm mee maken die ik maar wilde. Een lijn. Een kubus. Een smiley. Ik deed er vijf in mijn zak. Ik kon niet wachten om ze aan Charlie te laten zien.

Charlie. Ik was Charlie vergeten. Een steek van schuldgevoel schoot door me heen. Hij was hier ergens. Waarschijnlijk. Hoopte ik. En ik zat hier ondertussen met balletjes te klieren en te denken hoe gaaf ze waren.

Ik moest hem vinden. Helaas was de deur op slot. En ik was uitgeput. Morgenochtend. Ja, ik zou hem morgenochtend vinden. Maar nu...

Ik legde mijn hoofd op het kussen. Het was verbazend zacht en behaaglijk. In een paar seconden sliep ik.

Kleine blauwe zuignappen

Ik zat in de keuken met mama en papa en Becky. Charlie was er ook en we aten lasagne en het was echt heel lekkere lasagne. Alleen schudde er iemand aan mijn schouder, dus ik rolde om en deed mijn ogen open en gilde.

'Relax,' zei Britney.

Ik ging rechtop zitten en wreef in mijn ogen.

'Hoe voelt het kleintje zich vanmorgen?' vroeg Britney. 'Zijn je gevoelens goed?'

'Natuurlijk zijn mijn gevoelens niet goed. Ik zit op de een of andere stomme planeet die Plonk heet in de... in de... in het Dansende Hamsterstelsel. En ik praat tegen een spin met een apengezicht die Britney heet.'

'Beestachtig kind,' zei Britney. 'Ga lopen. Ik neem je mee naar het ontbijt. Stoppen we wat eten in dat praatgat.'

Ik liet haar buiten wachten terwijl ik naar de wc ging. Daarna leidde ze me door een doolhof van witte gangen naar een grote cirkelvormige hal vol mensen. T-shirtmensen, geen gewadendragers. Het plafond was hoog en gewelfd en de gebogen ramen waren gevuld met sterren. Iedereen zat te kauwen, te praten en te eten aan lange tafels. Het leek wel een enorme schoolkantine, met buiten de ruimte en binnen enorme aapspinnen die de vieze borden weghaalden.

Er kuierde een man met een paardenstaart en een gebloemd hawaïhemd naar ons toe. 'Jij bent vast een nieuwe.' Hij stak zijn hand uit. 'Bob Smith. Leuk je te ontmoeten.'

Ik gaf hem geen hand.

'Neem jij hem maar,' zei Britney. 'Hij doet mijn hoofd pijn.' En daarmee draaide ze zich om en maakte zich uit de voeten.

Bob Smith had zijn hand nog steeds uitgestoken.

'Waar is Charlie?' zei ik.

'Wie is Charlie?'

'Ik wil mijn vriend zien. En ik ga echt geen handen schudden met een buitenaards wezen met een harige staart en geen navel die mensen ontvoert.'

Bob lachte. 'Ik ben een mens. Net als jij. Ik neem tenminste aan dat je een mens bent.'

'O. Sorry.' Ik schudde zijn hand. 'Jimbo. Ik heet Jimbo.'

'Je hebt vast honger,' zei hij. 'Zo'n reis met de Weffstraal vraagt heel wat van een vent. Kom, we gaan je wat te bikken geven.'

Ik volgde hem naar een ronde tafel aan de rand van de kamer. Op de tafel lag een stel kleine blauwe zuignapjes. Hij pakte er één. 'Plak die op je voorhoofd.'

'Wat?'

'Je denkt aan een bepaald soort eten en... tja, het verschijnt gewoon. Het is echt fantastisch. Kijk maar.' Hij drukte een zuignap op zijn eigen voorhoofd en trok een gezicht alsof hij de tafel van dertien moest opzeggen. Er klonk een *ping!* en midden op de tafel verschenen als bij toverslag een bord met grote garnalen en een glas bier. Hij pakte ze op.

'Probeer jij het maar eens,' zei Bob. 'Je kunt alles krijgen. Echt alles. Je kunt zelfs braaksel krijgen als je dat wilt. De meesten proberen het één keer. Maar het irriteert iedereen. Je weet wel, de stank.' Hij grinnikte vrolijk. 'O en geloof me: das is altijd vies, wat je er ook mee doet. Bakken, koken, stoven, bladerdeeg, beslag... ik heb het allemaal geprobeerd.'

Ik plakte de zuignap vast en probeerde mijn hoofd leeg te maken. Als ik niet oplette, kreeg ik een portie das met braaksel. 'Een sandwich met brie en jam,' zei ik tegen mezelf. 'Wit brood zonder korst. Een sandwich met brie en jam. Wit brood zonder korst. En warme chocolademelk.'

Er klonk weer een *ping!* en daar was het ineens. Sandwich met brie en jam. Wit brood zonder korst. Beker warme chocolademelk. Het griezeligste was dat de warme chocolademelk in mijn gehavende Star Wars-beker zat. Of iets wat er erg op leek.

'Kom op,' zei Bob. 'We zoeken een plek.'

We gingen zitten en ik nam een hap van het broodje. Het smaakte een beetje naar brie en een beetje naar jam en een beetje naar benzine.

'Ja,' zei Bob. 'Het is niet perfect, maar' – hij keek rond – 'is dit niet de meest onvoorstelbare plek waar je ooit bent geweest? Man, ik bedoel, we zijn op een andere planeet.'

'Nee,' zei ik. 'Het zou pas echt onvoorstelbaar zijn als ik mijn beste vriend zou vinden en weer naar huis zou gaan.'

'Dus jij bent geen sciencefiction-fanaat?'

'Kijk. Nee. Wacht.' Ik pakte mijn hoofd vast. Het was me allemaal te veel. Zeventigduizend lichtjaren. De harige staarten. De discospinnen. 'Ik bedoel... wat gebeurt er in vredesnaam?'

'Het is wel een beetje verwarrend, hè,' zei Bob met zijn mond vol garnalen. 'In het begin, bedoel ik.'

'Ja. Nogal.'

'Ze kunnen geen kinderen krijgen,' zei Bob. 'Een of ander genetisch defect.'

'Ik begrijp het niet.'

'Over vijftig jaar zijn ze allemaal dood.' Bob spoelde de garnalen weg met een slok bier. 'Dus hebben ze besloten om de planeet opnieuw te bevolken.'

'Door mensen van Aarde te stelen?'

'Ja, wij zijn zeg maar de beste match. Er zijn genoeg intelligente buitenaardse wezens in de ruimte. Maar sommige zijn elfhonderd kilometer lang en andere lijken op snot.'

Ik keek de kamer rond. 'Maar iedereen lijkt zo tevreden. Hebben ze geen familie en vrienden en werk en zo?'

'Het zijn sciencefiction-fans,' zei Bob. 'Slim hè? Ze kiezen de mensen uit die het hier echt geweldig vinden.'

'Wacht even,' zei ik. 'Gaan ze een hele planeet bevolken met sciencefiction-fans? Is dat wel verstandig?'

'Jij bent zeker een ongelukje,' zei Bob.

En op dat moment zag ik hem. Gebogen over een tafel aan de andere kant van de kamer. Ik zou hem uit duizenden herkend hebben. Ik sprong overeind. De warme chocolademelk viel om, brie en jam vlogen door de lucht en de Star Wars-beker viel op de grond in scherven.

'Kalm aan, druktemaker!' zei Bob.

'Charlie!' schreeuwde ik. 'Charlie!'

Ik rende de kamer door, struikelend over de poten van een reusachtige aapspin met een stapel vaatwerk die 'Opzij opzij opzij!' schreeuwde.

Charlie draaide zich bliksemsnel om. 'Jimbo!' Hij sprong van de bank en rende naar me toe en ik denk niet dat ik in mijn hele leven ooit iets mooiers heb gezien.

'Charlie!'

'Jimbo!'

Schreeuwend van blijdschap sloegen we onze armen om elkaar heen en sprongen op en neer en tolden in de rondte.

'Charlie!' zei ik. 'Wat ben ik blij om je te zien!'

Hij grinnikte. 'Ik wist dat je zou komen, Jimbo. Ik wist het gewoon.'

'Je bent hier!' zei ik. 'Ik wist niet eens of je nog wel leefde.'

'En,' zei Charlie, en ging weer zitten. 'Hebben ze jou gevangen of hoe zit het?'

'Nee, nee, helemaal niet. Maar we wisten dat ze jou te pakken hadden. En ze probeerden mij ook te pakken. Die kerel in dat pak. En die andere mannen.'

'Hm-hm,' zei Charlie.

'Maar Becky en Kraterhoofd kwamen ineens opdagen en Kraterhoofd hield ze vechtend op afstand en Becky en ik hebben zijn motor geleend.'

'Hm-hm,' zei Charlie.

Er klopte iets niet. Hij was niet opgewonden genoeg. Hij was niet geïnteresseerd genoeg. Misschien was het de schok. Misschien kwam het door dat eten met een benzinesmaakje. Ik ging verder. 'Maar nu is het belangrijkste dat we een manier vinden om hier weg te komen.'

'Eigenlijk,' zei Charlie, 'denk ik dat ik maar blijf.'

'Wat!?'

'Kijk om je heen. Het is hier fantastisch.'

'Wat!?'

'Ze hebben hoverscooters. Ik wed dat je de hoverscooters nog niet hebt gezien.'

'Nee, luister,' zei ik. 'Hou je kop over die stomme hoverscooters. Ik ben hier helemaal naartoe gekomen om je te helpen ontsnappen, dus –'

'Dat is echt heel aardig van je,' zei Charlie. 'Maar ik vind het leuk hier. Echt waar.' Zijn stem was kalm en hij glimlachte alsof hij lid was geworden van een akelige religieuze sekte.

Ik stond op en leunde over de tafel. 'Hou je kop, idioot. Ik ben bijna doodgegaan omdat ik jou moest zoeken. Je vader en moeder zijn compleet doorgedraaid. En nu draaien mijn vader en moeder ook door.'

'Geef het een paar dagen,' zei Charlie op dezelfde griezelige, relaxte manier. 'Je gaat het steeds leuker vinden.'

Ik zakte terug op mijn stoel. 'Ze hebben je gehersenspoeld, dat is het. Ze hebben je drugs gegeven. Of elektrodes in je hersens gestopt. Ze hebben een zombie van je gemaakt.'

Charlie lachte. 'Natuurlijk niet. Je hebt gewoon last van jetlag. Geloof me.'

Ik was te kwaad om te praten. Ik greep hem bij de kraag en schudde hem hard door elkaar. 'Jij zou mijn vriend moeten zijn! Jij zou mijn vriend moeten zijn!'

'Hé, hé, hé,' zei Charlie. Hij had dezelfde grotemensenstem die papa en mama gebruikten als ik van streek raakte. 'Het komt allemaal goed.'

'Goed!?' Ik zwaaide met mijn vuist en sloeg hem zo hard ik kon.

'Au!' Hij bracht zijn hand naar zijn gezicht en liet hem toen weer zakken. Er was echt bloed.

Ik duwde hem achteruit zodat hij op de grond viel. Toen draaide ik me om en ging ervandoor.

Oranje toiletploppers

Ik kwam aan de rand van de kamer. Ik wilde net 'Snekkit!' roepen en door de deur springen toen de lichten uitgingen en de hele eetzaal donker werd. Ik kwam slippend tot stilstand. Ik kon echt helemaal niks zien.

Ik verwachtte dat iedereen zou gaan schreeuwen, maar ik hoorde alleen een paar opgewonden 'Oooo's en 'Aaaah's die wegstierven in een doodse stilte. Er klonk een zwak gonzend geluid en over het midden van de eetzaal viel een streep zacht wit licht.

Ik keek omhoog en zag dat het plafond zich opende als een reusachtig oog en een enorme glazen koepel onthulde. Achter de koepel lagen triljoenen kilometers duisternis vol fonkelende sterren.

Bob verscheen vlak naast me. 'Ik zag wat er daarnet gebeurde. De ruzie met je vriend. Dat was echt heftig, man.'

'Wat gebeurt er?' zei ik. 'Ik bedoel, met het dak en alles.'

'Wacht maar af,' zei Bob. 'Het is behoorlijk sensationeel.'

Het gonzen stopte. Het dak was nu helemaal open. Rechts van mij draaiden de twee zonnen langzaam om elkaar heen. En links...'

'Daar komt het veer,' zei Bob.

'Het wat?'

'Het intergalactische ruimteveer,' zei Bob. 'Maakt een rondje langs alle naburige sterrenstelsels. Haalt passagiers op en vracht en zo.'

Een gigantisch object gleed het beeld binnen. Een ruimteschip. Een heus, echt ruimteschip. Antennes en lanceerinstallaties en raketten en aandrijfmotoren en stabilisatoren en buizen. Hij ging zo langzaam als een olietanker, maar was honderd keer zo groot.

'Hij hopt de hyperruimte in en uit, vandaar die schroeiplekken,' zei Bob. 'Dat wordt behoorlijk heet. En kijk naar de voorkant. Zie je de asteroïdenbumper? Die grote plaat met al die deuken erin?'

In de verte klonk een diep gerommel. Je kon de vloer zachtjes voelen trillen.

'Is dat cool of niet?' zei Bob.

'Cool,' zei ik. 'Absoluut.'

'Het is hier niet als thuis,' zei Bob. 'Er is geen voetbal op tv en de garnalen zijn niet zo best. Maar als je de rest van je leven op een andere planeet moet doorbrengen, dan is dit geen slechte keus.'

Hij had gelijk. Natuurlijk had hij gelijk. Ik had geluk. Ik leefde nog. Ik zou dankbaar moeten zijn.

Er klonk een vaag sissend geluid en er likten kleine oranje vlammetjes uit twintig raketmotoren aan de zijkant van het intergalactische ruimteveer.

'De laatste aanpassingen,' zei Bob. 'Je weet wel, voor ze aanleggen.'

'Wauw.'

We keken in stilte toe hoe het ruimteveer langzaam over de koepel vloog, tot de laatste staartvin verdween en we achterbleven met het uitzicht op de nachthemel.

De lichten gingen weer aan en iedereen beschermde zijn ogen tot ze weer aan het licht gewend waren. Het dak begon zich gonzend te sluiten en de gesprekken kwamen weer op gang. Toen hoorde ik iemand 'stinkende scheet' in mijn oor fluisteren, en dat was best vreemd.

Ik draaide me om en daar stond Charlie. 'Stinkende scheet,' zei hij weer. 'Holy Moly stinkende olie en walkietalkies en frambozenschuimtaart. Ik ben nog steeds Charlie. Maar... kom even zitten en praat met me, oké?

'Hou je kop.'

'Jimbo, alsjeblieft.'

Hij was nog steeds Charlie, wat ze ook met hem gedaan hadden. Ik kon niet eeuwig boos blijven. 'Ik kom,' zei ik. 'Maar als je nog één keer begint met dat geleuter over hier blijven, dan krijg je een mep. Ik zweer het.'

'Beloofd,' zei Charlie.

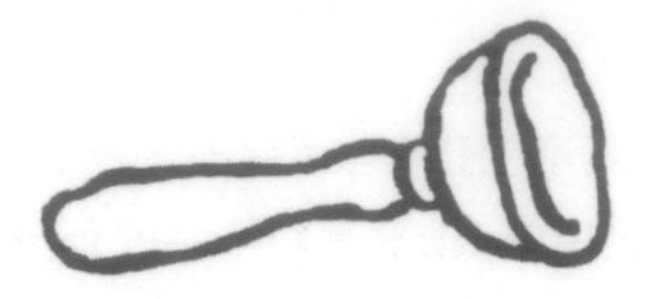

We liepen terug door de eetzaal en hij plantte me ergens neer en ging nog wat te eten halen.

Twee vrouwen aan het tafeltje naast ons waren aan het discussiëren over de vraag of Darth Vader enger was dan Jango Fett. Ik snapte er niks van. De bewoners van de planeet Plonk waren zogenaamd superintelligent. Ze hadden hoverscooters. Ze hadden een ruimteveer dat door de hyperruimte kon reizen. Waarom bevolkten ze hun planeet niet met ingenieurs? Of gevechtspiloten? Of accountants?

Charlie kwam terug met een grote kom spaghetti met tomatensaus uit blik. Het was genoeg voor een weeshuis en het rook niet goed.

Hij stopte zijn lepel in de kom en begon te klungelen en te roeren. Zoals die kinderen op school die niet van eten houden, maar die het heerlijk vinden om sneeuwpoppetjes van hun puree te maken en smileys van doperwten. Ik wilde zeggen dat hij niet zo kinderachtig moest doen en met me moest praten. Maar ik vond het ook fijn om hier zo met hem te zitten en zolang hij niks zei, kon ik net doen alsof ze niks met zijn brein hadden uitgespookt.

Eindelijk had hij er genoeg van om met zijn spaghetti te spelen.

'Hier, neem jij ook wat,' zei hij en duwde de kom naar me toe.

'Echt niet,' zei ik. 'Ik haat spaghetti.'

'Ja,' zei Charlie. 'Maar dit is speciále spaghetti.' Hij keek weer alsof hij lid was van een religieuze sekte.

'Charlie,' zei ik terwijl ik uit alle macht probeerde mijn groeiende frustratie de baas te blijven, 'ik hou niet van spaghetti. En jij weet dat ik er niet van hou, want de laatste keer dat ik een blik spaghetti at, heb ik alles uitgekotst. En jij weet dat ik alles heb uitgekotst, want ik kotste jou helemaal onder.'

Charlie wreef over zijn voorhoofd, haalde diep adem en keek naar me met een vertrokken gezicht alsof hij op de wc zat en het lukte niet. 'Jimbo, dit is létterspaghetti.'

'Eet jij letterspaghetti?' zei ik. 'O, dat stelt me echt gerust. Wat ben jij, zeven?'

'Kijk nou in die kom!' zei Charlie.

'Nee,' zei ik en sloeg mijn armen over elkaar.

Charlie stond op en boog over de tafel en schreeuwde: 'Hoe stom ben jij eigenlijk? Natuurlijk haat ik het hier. Natuurlijk wil ik ontsnappen. En ik had een fantastisch plan bedacht. Maar jij hebt het totaal verpest omdat je een absolute randdebiel bent. Kijk in die verdomde kom!'

Ik keek in de kom. De spaghetti was zo neergelegd dat er stond:

Hou je kop
ze
luisteren
ons af

'O,' zei ik. 'Daarom deed je zo raar.'

'Ja,' zei Charlie sarcastisch. 'Daarom deed ik zo raar.'

'Omdat ze moesten denken dat je het hier echt leuk vond.'

'Ja,' zei Charlie sarcastisch. 'Omdat ze moesten denken dat ik het hier echt leuk vond.'

'Dus,' zei ik, 'wat gebeurt er met je als je het hier niet leuk vindt?'

'Ze schieten je de ruimte in? Vermalen je in de een of andere machine? Ik heb geen idee. Maar het begint met een paar gewapende spinnen die je krijsend afvoeren. Zoiets.'

Hij wees over mijn schouder. Ik draaide me om. Captain Chicken alias Bantid Vantresillion stond aan de rand van de kamer in zijn purperen gewaad met twee reusachtige aapspinnen naast zich. De spinnen hadden valhelmen op en droegen oranje toiletploppers.

'Grijp ze!'

De reusachtige aapspinnen renden op ons af.

'Rennen!' zei Charlie.

We ontweken ze en doken weg. We gleden over banken en sprongen over tafels. Ik gooide champignonsoep over een vrouw heen. Charlie zat in een kom strooppudding. Eén spin richtte zijn toiletplopper en er suisde een laserstraal vlak langs mijn been die mijn spijkerbroek schroeide. Charlie ontweek een tweede straal. Die stak het haar van een bananensplit-etende sciencefiction-fan in brand.

'Ik hou van het nachtleven!' riep een van de spinnen.

'Botsautootjes!' riep de tweede.

Hoe dan ook, we haalden de ingang. Ik riep 'Snekkit!', de wand ging open en we renden de gang in.

Ik moet zeggen dat we het behoorlijk goed deden. Ik denk dat we in ons hele leven nog niet zo hard hadden gerend. Op een bepaald moment duwde ik een dikke kerel van een hoverscooter en we sprongen er allebei op, maar de joystick zag eruit als een tomaat en ik had geen idee hoe ik hem moest gebruiken, dus zonk de scooter sissend op de grond. We sprongen eraf en renden verder.

Ze kregen ons natuurlijk te pakken. Ze hadden meer benen en de dodelijke toiletploppers. We mochten blij zijn dat ze ons niet vol rokende gaten hadden gepompt. We kwamen tot stilstand en stonden met de handen op de knieën te puffen en te hijgen. Een paar seconden later werden onze armen en benen in harige tentakels gewikkeld. De spinnen waren verbazend sterk. En hun adem rook afschuwelijk.

'Slok ze op!' zei een van de spinnen. 'Levend! Dan zijn ze lekker vers!'

'Voet op de rem!' zei de andere. 'We hebben geen zin in de elektrische prikstok.'

'Nee,' zei de eerste. 'We hebben geen zin in de elektrische prikstok.'

Achter de spinnen verscheen Vantresillion. 'Breng ze naar de wachtcel.'

'Wat ga je met ons doen?' vroeg Charlie.

Vantresillion lachte, draaide zich om en liep weg.

'Kom mee, kleine kale apen,' zei de eerste spin.

Ze tilden ons op en renden snel in de tegenovergestelde richting. We werden helemaal door elkaar geschud en het kon ze niet schelen dat ons hoofd tegen de wand sloeg als ze een hoek om gingen.

Drie minuten later snekkitten ze een deur open, gooiden ons een klein kamertje in en snekkitten de deur weer dicht.

Deze kamer was anders. Deze kamer was niet wit. Deze kamer was grijs en zwart en bruin. De wanden waren van iets gemaakt wat op beton leek, en ze waren in geen honderd jaar schoongemaakt. Er droop bruine drab vanaf en er lag een hoop troep in de hoek alsof hier pas nog iemand was doodgegaan.

'Gezellig,' zei Charlie.

Toen zeiden we een poosje helemaal niks meer.

Ik haalde diep adem. 'Sorry, dit is mijn fout.'

'Geeft niet,' zei Charlie. 'Ik vergeef je. Zo'n beetje.'

Weer zeiden we een tijdje niks.

'Wat was het plan?'

'Het plan?' vroeg Charlie.

'Ja,' zei ik. 'Het geniale plan. Dat plan dat ik heb verpest omdat ik een complete randdebiel ben.'

'O, dat plan,' zei Charlie. 'Nou, als je die zuignappen op je voorhoofd plakt en hard genoeg denkt, kun je spruitjes maken die afgaan als granaten als je ermee gooit.'

'En...?'

'Die was ik aan het opsparen,' zei Charlie. 'Je weet wel, een arsenaal opbouwen, zodat ik me een weg naar buiten kon vechten.'

'Waarheen?' zei ik. 'We zijn zeventigduizend lichtjaren van de planeet Aarde verwijderd. Of heb je soms ook een chocoladetaart die in een ruimteschip kan veranderen?'

'Oké,' zei Charlie. 'Je hoeft niet sarcastisch te worden. Ik probeerde het tenminste.'

Er klonk een onheilspellend schrapend geluid aan de andere kant van de muur.

'Dat is waarschijnlijk de verbrijzelmachine,' zei Charlie. 'Trouwens, nog bedankt dat je me bent komen halen.'

Ik knikte. 'Geen probleem. Ik bedoel, ik had geen keus. Omdat je mijn vriend bent en zo. En ik miste je.'

'Ja, ik jou ook. Ik denk dat ik gek was geworden als je niet was komen opdagen. Met al die lui die over *Blade Runner* zitten te praten en Vogon spreken.'

Ik weet niet hoe lang we in die wachtcel hebben gezeten. Het licht was de hele tijd aan en onze horloges werkten niet meer sinds we op Plonk waren. We praatten over Megan Shotts en de sprinkhanen. We praatten over de sneeuwpopsokken van meneer Kosinsky. We praatten over zalmmousse en over broodjes met aardbeienjam en cheddarkaas.

Maar aan huis denken maakte ons treurig. Dus speelden we boter, kaas en eieren op de grond door het vuil met de neus van onze schoen weg te schrapen. Toen probeerden we alle landen van de wereld op te noemen. Maar we bleven eraan denken dat we gedood zouden worden, en dat leidde wel een beetje af.

Er gingen tien uur voorbij. Of misschien twintig. Of dertig. We werden heel moe. We gingen liggen om te slapen, maar als je in de bruine drab ligt, valt het niet mee om je te ontspannen. Dus stonden we weer op. En uiteindelijk werden we zo moe dat de bruine drab ons niks meer kon schelen. We gingen liggen en vielen in slaap.

We hadden nog niet zo lang geslapen toen we door weer twee andere reusachtige aapspinnen werden gewekt. Of misschien waren het dezelfde. Het was moeilijk te zien.

'In de benen!' zei de ene.

'We gaan uit!' zei de andere.

'Gaan jullie ons nu executeren?' vroeg Charlie.

'Hoera,' zei de ene. 'Jij bent een slimme jongen.'

'I will survive,' zong de andere. 'Maar jullie niet.' En hij hinnikte vrolijk.

We vochten een poosje, maar het had geen zin. Ze pakten ons bij armen en benen en tilden ons boven hun hoofd en voerden ons af door de gang.

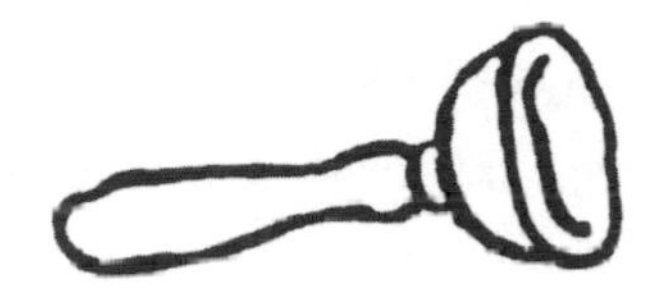

Vijf minuten later werden we een hightech, wit kantoor binnen gebracht, met blauwe rubberen planten en Vantresillion die achter een bureau zat. De reusachtige aapspinnen lieten ons op de grond vallen.

'Jullie kunnen gaan,' zei Vantresillion en de spinnen gingen ervandoor.

'Charles...' zei Vantresillion. 'James...'

'Ga je ons nu ombrengen?' vroeg Charlie opnieuw terwijl hij overeind kwam.

'Nee,' zei Vantresillion.

'Maar de spinnen,' antwoordde ik, 'die zeiden...'

'Ze hebben een raar gevoel voor humor,' zei Vantresillion.

'O.'

'Normaal gesproken zouden we jullie wel ombrengen,' zei Vantresillion. 'Maar ik denk dat jullie ons kunnen helpen.'

Er ging een golf van opluchting door me heen en een paar seconden werd alles een beetje wiebelig. Maar Charlie hield zijn kop erbij. 'Geweldig,' zei hij. 'Brand los en we zullen zien wat we kunnen doen. We willen graag helpen, nietwaar Jimbo?'

'Hè wat?' zei ik. 'Ja, dat is zo. We willen graag helpen.'

'Hmmm,' zei Vantresillion. 'Ik heb een probleem.

Iedere keer dat een van de Wachters naar Skye reist om naar Plonk terug te keren, verliezen we het contact.'

'Plonk,' zei Charlie grinnikend. 'Daar moet ik iedere keer om lachen.'

'Charlie...?' zei ik.

'Wat?'

'Je moet geen beledigende dingen over hun planeet zeggen, oké?'

'Goed idee,' zei Charlie. Dus ik denk dat hij zich ook een beetje wiebelig voelde.

'En elke keer als we iemand daarnaartoe zenden, verliezen we het contact ook.'

'Dat zal het leger wel zijn, of de politie. Waarschijnlijk allebei.'

'Maar niemand weet iets van de Weff-straal af,' zei Vantresillion met op elkaar geklemde kaken.

'Ja hoor, dat weten ze wel,' zei Charlie. 'Dat heeft Jimbo ze verteld, toch, Jimbo?'

'Heb ik dat gedaan?'

'Het is oké,' zei Charlie. 'Je hoeft het niet langer geheim te houden.'

'Juist,' zei ik. Ik wist niet wat Charlie van plan was, maar ik had geen beter idee, dus ik besloot om mee te spelen. 'Ja, we hadden een opschrijfboekje. En een kaart en zo. Van de zolder van mevrouw Pearce. En die heb ik aan papa en mama gegeven. Dus zij weten alles van dat gedoe met die Weff-straal.

'Je liegt,' zei Vantresillion.

'Op mijn padvinderseer,' zei Charlie. 'Met mijn hand op mijn hart.'

Nu ik erover nadacht: hij had waarschijnlijk gelijk. Becky had de Weff-straal gezien. Zij was vast naar de politie gegaan. Inmiddels hadden ze de plek natuurlijk omsingeld. Tanks, prikkeldraad, scherpschutters.

'Ik denk dat ze neer worden geschoten zodra ze uit de grond omhoogkomen,' zei Charlie. 'Omdat het buitenaardse wezens zijn, met staarten.'

'Ik ben al vijf Wachters kwijt,' zei Vantresillion dreigend. 'Nog meer en ik zweer dat ik iedereen op dat achterlijke planeetje van jullie zal ombrengen.'

'U maakt maar een grapje, toch?' zei Charlie glimlachend.

Vantresillion boog naar voren en trok een zwart doosje naar het midden van het bureau. Er zaten verschillende knoppen op. Hij zette zijn vinger op de rode. 'Als ik hierop druk,' zei hij, 'dan explodeert jullie hele planeet. Geen Eiffeltoren meer. Geen Chinese Muur. Alleen een hoop rokende rotsen in de ruimte.'

'Wat doen de andere?' vroeg Charlie. 'Maken die cappuccino?'

Ik draaide me om en keek hem kwaad aan. 'Probeer eens een beetje aardiger te zijn, oké? Hij zou wel eens de waarheid kunnen spreken.'

'Kijk,' zei Vantresillion. Hij draaide rond en er verscheen een scherm op de wand. Midden op het scherm zagen we een planeet. Zo één als Saturnus, met ringen eromheen en drie manen. 'Zip zeven,' zei Vantresillion. 'Daar hebben we ook een Weff-straal.' Hij drukte op de gele knop. Er klonk een luide knal en de planeet barstte uit elkaar in een enorme vuurbal.

'Holy Mac!' zei Charlie.

De planeet was verdwenen. Er was niks meer van over behalve een rokende hoop stenen en drie kleine manen die treurig de ruimte in dreven.

'Lieve help,' zei ik. 'Waren er zoiets als mensen op die planeet?'

'Ja,' zei Vantresillion. 'Maar ze leken op eekhoorns en ze waren dom en ik vond ze niet echt leuk.'

Hij pakte twee koperen polsbanden uit zijn bureau en gooide ze naar ons toe. 'Doe deze om.'

We deden ze om. Hij drukte op de derde knop en ze klapten dicht.

'Au!' zei Charlie.

Ik probeerde de mijne af te doen, maar hij was gekrompen en ik kreeg hem met geen mogelijkheid van mijn pols.

'Jullie gaan terug met de Weff-straal,' zei Vantresillion. 'Jullie praten met de idioot die daarbeneden de baas is en zeggen dat wij de Wachters terug willen.'

'Maar...' zei Charlie. Ik kon zijn hersens horen kraken. 'Ze zullen ons niet geloven. "De aarde wordt opgeblazen." Dat klinkt niet erg geloofwaardig, of wel?

'Dan moeten jullie heel overtuigend zijn,' zei Vantresillion.

'Snogroid!'

Er ging een deur open en er kwam een spin binnendribbelen. Vantresillion gooide de spin nog een polsband toe. 'Doe deze om.'

De spin deed hem om en we hoorden hem dichtklappen.

'Prachtige armband,' zei ze. 'En hij sluit zo mooi aan.'

Vantresillion keerde zich weer naar ons. 'Jullie krijgen vijf minuten. Dan bellen jullie mij met de polsbanden. Als het probleem dan niet is opgelost, gebeurt er dit met Charles.' Hij drukte op de groene knop. Opnieuw een harde knal, gevolgd door een gruwelijke gil. De spin ging in vlammen op, de kamer vulde zich met rook en de geur van brandend haar. Toen de rook optrok, lag er een kring zwarte as op de vloer en een verbogen polsband die nog nagloeide van de hitte.

'Dan zullen ze wel van gedachten veranderen,' zei Vantresillion. 'Nog vijf minuten en ik doe hetzelfde met James. Daarna verlies ik mijn geduld en druk ik op de rode knop. Daarna is de beurt aan de laatste knop en krijg ik een lekkere cappuccino.' Hij vond dit zelf erg grappig en het duurde een hele tijd voor hij ophield met lachen. 'Nu. Volg me.'

De grote knobbelige stok

Vantresillion beende door de gang en wij draafden achter hem aan. Hij droeg de knoppendoos en wij droegen de polsbanden dus het had geen zin om weg te lopen.

'Hé,' zei Charlie. 'Bekijk het van de zonnige kant. We gaan naar huis.'

'Ja, voor vijf minuten. Dan zijn we dood.'

'Nee,' zei Charlie. 'Dan ben ík dood. Jij krijgt nog vijf minuten extra.'

'Fantastisch. Ik voel me gelijk een stuk beter.'

'Je weet maar nooit,' zei Charlie. 'Misschien gelooft brigadegeneraal Dinges ons wel.'

'Niemand gelooft ons ooit,' zei ik. 'Waar het ook over gaat.'

'Hier naar binnen,' zei Vantresillion. 'Snekkit.'

In de wand ging een deur open. We waren weer in de grote witte hangar waar ik was aangekomen. Het witte plafond twintig meter boven ons hoofd. De hoge ramen met de sterrenvelden erachter. Net als toen zaten Pearce, Kidd en Hepplewhite in hun purperen gewaden aan de lange tafel.

'Tidnol,' zei Vantresillion. 'Basky dark.'

'Crispen hooter mont,' zei mevrouw Pearce terwijl ze opstond. Ze liep naar ons toe. 'Wel, wel, wel. Jullie blijken uiteindelijk toch nog nuttig te zijn. Wat een verrassing.'

'Altijd bereid om te helpen,' zei Charlie.

'Ga de koker van de Weff-straal in,' zei Vantresillion. 'En denk eraan. Vijf minuten. Charles is dood. Tien minuten. James is dood. Daarna ben ik het heel, heel snel zat.'

Hij duwde ons naar het buisvormige hokje. 'Erin. Allebei.'

'Dat wordt wel een beetje dringen,' zei Charles.

'Platgedrukt worden is wel het laatste waar jullie je druk over moeten maken,' zei Vantresillion.

Ik stapte naar binnen. Charlie kwam naast me staan. Vantresillion duwde. Toen duwde hij nog wat harder. Toen zei hij 'Snekkit' en de gebogen deur gleed achter ons dicht.

'Riemen vast,' zei Charlie, met zijn gezicht tegen mijn oor geperst. 'Deuren in de cabine op automatisch.'

'Wat is het plan?' vroeg ik.

'Geen flauw idee,' zei Charlie. Als we echt geluk hebben, doodt een paratroeper ons met zijn bazooka op het moment dat we uit de grond omhoogkomen.'

Toen hoorden we de *boem!* Het voelde alsof we op

ons hoofd werden geslagen met een honkbalknuppel. Ik deed mijn handen over mijn oren en elk atoom in mijn lichaam begon te trillen. Mijn kleren waren doornat van het zweet en ik werd vreselijk zeeziek. Charlie was vast ook zeeziek, want hij gaf over op mijn rug en het stonk verschrikkelijk.

De atomen in mijn lichaam stopten met trillen en de misselijkheid trok weg. Charlie zei: 'Sorry daarvoor' en het woord ZARVOIT flitste over het kleine scherm naast mijn hoofd. Er klonk een *ding-dong*, als van een deurbel, het dak van de koker gleed weg en we kwamen omhoog.

Zonlicht. Ik kon echt zonlicht zien. We stegen nog wat verder en ik zag de toppen van de bergen. En gras. Echt gras.

En toen zag ik een totaal verdwaasde gedaante boven ons staan, met aan elkaar geklit haar en krankzinnige ogen en een grote knobbelige stok in de handen. De gedaante slaakte een echte tarzankreet en verkocht Charlie een klap. Hij schreeuwde, greep naar zijn schouder en rolde opzij in het gras.

Toen zei de verdwaasde gedaante met het verwarde haar en de krankzinnige, starende ogen: 'Jimbo!' en ik besefte dat het Becky was.

'Niet slaan!' riep ik.

'Je bent terug!' riep Becky. Ze greep me vast en omhelsde me, net zoals ik met Charlie had gedaan toen ik hem zag in de eetzaal. En ik greep haar vast en omhelsde haar net zo hard. Ik was nog nooit zo blij geweest om haar te zien.

'Broertje!' zei ze.

'Je hebt op ons gewacht,' zei ik.

'Natuurlijk heb ik gewacht,' zei Becky. 'Wat kon ik anders doen? Naar huis gaan en vermoord worden omdat ik jou was kwijtgeraakt? Maar waar ben je verdomme geweest? En waarom zit je hele rug onder de kots?'

Toen dacht ik er weer aan. 'Ik zal het later allemaal uitleggen. We moeten ervoor zorgen dat de planeet niet wordt opgeblazen.'

'Wat!?' zei Becky.

Ik keek rond. 'Waarom is de politie hier niet, en het leger?'

'Waar heb je het in godsnaam over?' zei Becky. 'Doe 's rustig en vertel wat er met je is gebeurd.'

Ineens hoorde ik Vantresillions stem in mijn hoofd. 'Hoe staat het ervoor, James? Je hebt nog drie minuten. Ik heb mijn vinger op de knop. Spreek je nu met degene die het bevel voert?'

Ik raakte mijn polsband aan. 'Eh, ja. Ik praat nu met de bevelhebber. We zijn iets aan het uitwerken. Heel snel.'

Ik haalde mijn vingers weer van de polsband.

‘Tegen wie praat je?’ vroeg Becky.

Charlie kwam overeind. ‘Dat deed echt pijn.’

‘Sorry,’ zei Becky, ‘ik dacht dat jij er ook zo één was.’

‘Becky. Wauw, jij bent het,’ zei Charlie. ‘Ik herkende je niet in die holbewonersvermomming.’

Ik wendde me tot Becky. ‘Hoe bedoel je, ook zo één?’

‘Dat grote blauwe licht gaat aan,’ zei Becky. ‘Er is een *boem!* Ik loop ernaartoe en sla ze op hun kop. Dan bind ik ze vast achter die grote rots daar. Waar komen ze allemaal vandaan?’

‘Aha,’ zei Charlie. ‘Dus het komt door jou dat ze geen contact meer kunnen krijgen. Geweldig. Superintelligente buitenaardse beschaving gedwarsboomd door een meisje met een knuppel.’

‘Charlie,’ zei ik. ‘Hou je kop. We hebben maar heel weinig tijd.’

‘O ja,’ zei Charlie. Dat was ik vergeten. Ik ben nog steeds een beetje in de war. Je weet wel, omdat ik ben neergeslagen.’

‘Er is geen politie. Er is geen leger. Wat moeten we in godsnaam doen?’

De stem van Vantresillion klonk weer in mijn hoofd. ‘Nog twee minuten. Ik word ongeduldig.’

Charlie liep in kleine kringetjes rond, met twee handen op zijn hoofd. ‘Oké. Denk na... Denk na...’

‘Je hebt geen antwoord op mijn vraag gegeven,’ zei Becky.

‘Welke vraag?’ zei ik.

'Waar ben je in godsnaam geweest? Ik zit hier al zes dagen vast. Ik leef op water uit het Loch en chocolade.'

'Zes dagen?' zei ik.

'Ja,' zei Becky. 'Zes dagen.'

'Dat is grappig,' zei ik. 'Ik dacht dat het maar een dag geduurd had. Het heeft vast te maken met die ruimtetijd.'

Becky greep me bij de schouder en schreeuwde: 'Waar ben je in godsnaam geweest?'

Ik haalde diep adem. 'Plonk. Dat ligt in het Sagittarius Elliptisch Dwergstelsel. Het is zeventigduizend lichtjaren verwijderd van het centrum van ons Melkwegstelsel. In de richting van de Grote Magelhaense Wolken.'

Becky schudde haar hoofd. 'Je moet nodig naar een dokter.'

'Nog één minuut,' zei Vantresillion.

'Becky,' zei ik. 'Luister. Dit is belangrijk. Het is heel goed mogelijk dat Charlie over, zeg, vijftig seconden ontploft.'

Becky staarde me met open mond aan.

Vijf minuten later ontplof ik dan ook. Dus ik wil nog even zeggen dat ik van je hou. En ga niet te dicht bij me staan. En dan, weer een paar minuten later... nou, daar moeten we nu nog maar niet aan denken.'

'Dertig seconden...' zei Vantresillion.

Ik liep naar Charlie en zei: 'Jij bent de beste vriend die er bestaat. Dat weet je wel, hè? En ik hou ook een soort van jou. Maar niet op een meisjesmanier.'

'Hou je kop!' zei Charlie.

'O, oké dan,' zei ik een beetje beledigd.

Charlie raakte zijn polsband aan. 'Meneer Vantresillion...?'

Ik duwde op mijn eigen polsband om mee te luisteren.

'Ja?' snauwde Vantresillion.

Het was even stil. 'We hebben een probleem. Er is hier een politieman.'

'En waarom is dat een probleem?'

'Nou, als hij twee jongens ziet ontploffen, dan gaat hij natuurlijk meer politiemannen halen,' zei Charlie.

'Waar zijn de Wachters?' siste Vantresillion.

'Hij heeft geen flauw idee, ben ik bang.'

'Wat is hier in vredesnaam aan de hand?' vroeg Becky.

Ik sloeg mijn hand voor haar mond.

'Laat die politieman niet ontsnappen,' siste Vantresillion.

'Nnnnnggg,' zei Becky, die probeerde mijn hand weg te trekken.

'En hoe moeten we dat doen?' vroeg Charlie.

'Weet ik veel,' sputterde Vantresillion. 'Gewoon... stop hem in de Weff-straalkoker.'

'Het is een heel grote politieman,' zei Charlie.

'Fenting nard!' zei Vantresillion. 'Laat je vriend naast hem gaan staan, zodat ik ze samen op kan blazen.'

'Ik denk niet dat Jimbo dat wil doen,' zei Charlie.

'Fenting, fenting, fenting nard!' zei Vantresillion. 'Verroer je niet. Ik stuur iemand naar jullie toe. En als die korte metten heeft gemaakt met de heel grote politieman, zijn jullie toast! Begrepen?'

'Absoluut!' zei Charlie en hij haalde zijn vingers van de polsband. Hij richtte zich tot Becky. 'Het is tijd om je grote stok te pakken.'

Ik haalde mijn hand van Becky's mond en ze zei: 'Willen jullie alsjeblieft zo vriendelijk zijn om me te vertellen wat hier aan de hand is? En waarom is er een denkbeeldige politieman? En tegen wie zijn jullie verdomme aan het praten?'

Maar Charlie had geen kans om het uit te leggen, want het verblindende blauwe licht kwam weer uit de hemel stromen. Toen klonk er een oorverdovend *boem!* en ging het licht weer uit en pakte Becky haar knobbelige stok en rende naar het ingestorte huisje en hief de stok boven haar hoofd. Het deksel gleed opzij en het hoofd van mevrouw Pearce verscheen en Becky gaf er een harde klap op en mevrouw Pearce gilde snerpend en rolde opzij en lag voorover op de aarde, volkomen bewusteloos.

'O help,' zei Becky. 'Ik heb net een behoorlijk oud mens op haar hoofd geslagen.'

'Feitelijk,' zei Charlie, 'is dat mevrouw Pearce.'

'Help,' zei Becky. 'Ik heb net jullie lerares geschiedenis op haar hoofd geslagen.'

Ik boog voorover en tilde de rok van mevrouw

Pearce op. 'Hierdoor zul je je wel wat beter voelen.'

'Wat doe jij in vredesnaam, Jimbo?' zei Becky.

'Ik moet je iets laten zien.'

'Wat een zieke, gestoorde kleuter ben jij, zeg,' zei Becky. 'Ik ga echt niet naar het achterwerk van een lerares kijken.'

En daar was hij. De onderbroek van mevrouw Pearce had aan de achterkant een keurig klein gaatje. En daar stak hij doorheen. Een beetje als een lange harige wortel. De staart.

'Jee,' zei Charlie. 'Dat staat nu, zeg maar, voor eeuwig in mijn geheugen gegrift.'

'Becky,' zei ik. 'Doe je ogen open.'

'Nee.'

'Doe je ogen open.'

'Nee.'

'Doe je ogen open.'

Becky deed haar ogen open, keek naar beneden en gilde. Toen werd alles verlicht door een helderblauw licht en de bergen galmden door de oorverdovende *boem!* – alleen letten we er niet echt op, omdat we zo hysterisch waren over de staart van mevrouw Pearce. Toen hoorden we iemand zeggen: 'Klein mensentuig!' en we draaiden ons bliksemsnel om en zagen Vantresillion uit de Weff-straalkoker omhoogkomen.

Becky rende op hem af, tilde de knobbelige stok op en zwaaide hem boven haar hoofd, maar hij was te snel. Hij greep het uiteinde vast en rukte hem uit Becky's handen.

'Narking frotter!' tierde hij. Zijn ogen schoten vonken blauw licht. 'Ik ga jullie nú roosteren.' Hij greep naar zijn polsband.

'Hou hem tegen!' schreeuwde Charlie.

Maar Becky had al een bus haarlak uit haar achterzak getrokken en spoot hem recht in zijn ogen. Hij gilde, bracht zijn handen naar zijn gezicht en stortte op de grond.

'De polsband,' zei ik en stampte op Vantresillions arm terwijl Charlie de band afrukte en zo ver mogelijk wegsmeet. We keken hoe hij door de lucht zeilde en in het water plonsde, vlak naast het kleine bootje dat bij de rotsen lag aangemeerd.

Vantresillion zei: 'Aaeeaaeeaaeeaargh!'

En Charlie zei: 'Jimbo, die zus van jou is een pittig grietje.'

'Dat is toch wel een compliment mag ik hopen,' zei Becky.

'Ja,' zei Charlie. 'Maar als Vantresillion niks van zich laat horen, gaat er iemand op die knop drukken en dan ontploffen wij, dus we moeten binnen een minuut iets heel spectaculairs doen.'

Vantresillion kwam overeind en wankelde blind in de rondte, op zoek naar ons om ons te wurgen.

'Benzine!' schreeuwde ik. 'Er zit benzine in de boot. We steken dat Weff-straalgeval in brand. We blazen hem op.'

We renden naar de waterkant en probeerden de buitenboordmotor van de achtersteven af te tillen, maar hij was te zwaar.

'Laat dat ding,' zei Becky met een rode plastic jerrycan in haar hand. 'Dit hebben we nodig.'

We renden de grazige helling weer op, naar het ingestorte huisje.

'Hij gaat dicht!' riep Charlie. 'Snel!'

Ik pakte de gebroken knobbelige stok en duwde hem in het gat. Hij versplinterde en knapte af. Charlie en Becky kwamen eraan gestrompeld met een stuk rots en duwden hem uit alle macht in de spleet. Het mechanisme wrong en schudde en scheidde een heleboel vieze bruine rook af.

Becky draaide de zwarte dop van de rode jerrycan en schonk de inhoud in de Weff-straalkoker. 'Oké,' zei ze. 'En nu steken we hem aan.'

'Hoe?'

Becky was even stil. Toen zei ze een heel, heel, heel lelijk woord. 'We hebben geen aansteker!'

Het mechanisme schudde en rookte en de rots brak in twee stukken.

'De aansteker van Kraterhoofd!' Ik zocht als een gek in de zakken. De sigaretten, de portemonnee, de vettige pluis... en de aansteker.

Ik gooide mezelf op de grond en duwde mijn arm langs het deksel in de opening.

'Stop, idioot!' schreeuwde Charlie. 'Je blaast jezelf op!'

Hij scheurde zijn shirt uit, duwde de mouw in het mondstuk van de jerrycan, haalde hem er weer uit en stak hem aan.

De rots versplinterde eindelijk, Charlie propte het brandende shirt door de laatste centimeter van de krimpende opening en schreeuwde: 'Rennen!'

We renden weg, gooiden onszelf op de grond en wachtten af. En wachtten af. En er gebeurde helemaal niets. Alleen dwaalde Vantresillion de ruïne in, kreunend, de armen voor zich uitgestrekt, in de lucht klauwend als een verdwaalde zombie.

Hij stond precies in het midden van het huisje toen het blauwe licht aanflitste. Hij gilde weer, maar nu veel harder. Toen verdween hij in de kolom van licht en konden we hem niet meer horen schreeuwen. Toen ging het licht weer uit en de *boem!* liet de bergen schudden en we zagen dat Vantresillion in een rokend, zwart standbeeld van zichzelf was veranderd. Eén arm viel in stukken op de grond. Toen gebeurde hetzelfde met het hoofd.

'Het werkte niet,' zei Charlie. 'Het werkte –'

En toen, ineens, werkte het toch. Er klonk een sidderende *whump!* En de Weff-straal en het huisje en het zwarte standbeeld van Vantresillion ontploften in een enorme bloemkool van oranje vlammen. We deden onze ogen dicht en bedekten ons hoofd. De hittegolf raakte ons en het was alsof er een heel erg hete vrachtwagen over ons heen walste.

We deden onze ogen weer open. Twee seconden was er een onheilspellende stilte, toen brak er een verschrikkelijk kabaal los terwijl om ons heen brokstukken zeer geavanceerde technologie naar beneden kwamen. Ik keek omhoog en rolde nog net op tijd weg, anders was ik gespietst door een lange keramische speer uit de wand van de koker.

We stonden op, plukten scherven en stukjes as van onze kleren en liepen terug naar de ruïne. Alleen was die er niet meer. Er was een zwarte krater. Er was een kring beroete stenen. Er lagen nog een paar kabels. Er lag een driehoekige scherf gebarsten blauw glas.

Ik hoorde een klein klikje en voelde dat mijn polsband losging en op de grond viel. Ik hoorde nog een klikje en zag dat met Charlies polsband hetzelfde gebeurde.

Hij bukte zich en raapte ze op. 'Je weet wel,' zei hij. 'Gewoon voor de zekerheid.' Hij haalde uit en smeet ze in het water.

Op dat moment zagen we mevrouw Pearce. Ze was eindelijk bijgekomen en kwam overeind. Ze had haar vingers op haar eigen polsband gelegd. 'Gretnoid,' zei ze. 'Nutwall venka berdang.' Ze duwde er nog eens op. 'Gretnoid. Nutwall venka berdang.' Ze klonk steeds paniekeriger. 'Gretnoid...? Gretnoid... ?'

Charlie liep naar haar toe. 'U kunt zeker geen contact meer krijgen met Plonk?'

Ze grauwde naar hem.

'Geweldig,' zei Charlie. 'Ik ga er maar van uit dat ze ons niet meer kunnen opblazen. Of de planeet. Klopt dat?'

'Hier gaan jullie voor boeten. O, ik zal jullie allemaal verschrikkelijk laten boeten!'

'Hoe dan?' zei Charlie.

Ze was even stil, toen zonk ze op de grond en begon te huilen. 'O god,' jammerde ze. 'Ik zit voor altijd vast op die stomme, primitieve, godvergeten planeet van jullie.'

'Hoe dan ook,' zei Becky, 'we gaan er nu vandoor. Daarachter zitten vijf van uw vrienden vastgebonden. Achter die grote zwerfkei. Ze kunnen wel wat hulp gebruiken.'

We liepen terug naar de tent. De vijf Wachters waren er vlakbij vastgebonden. Ik herkende de twee van de rode Volvo. Ze waren eerst een beetje snauwerig, maar toen legde Charlie uit dat de Weff-straal vernietigd was en dat ze niet meer naar huis konden. Daarna werden ze behoorlijk stil. Sommigen huilden, net als mevrouw Pearce.

Becky haalde de sporttas overhoop en vond een nieuw shirt voor Charlie. We pakten alles in en liepen de heuvel weer af, naar het water. Mevrouw Pearce zat nog steeds op handen en knieën te huilen toen we langsliepen.

'Tot kijk!' zei Charlie.

Ze keek op en jankte als een treurige hond.

We klommen in de boot en lieten de buitenboordmotor in het water zakken. Becky rukte drie keer aan het startkoord, de motor kwam rochelend op gang en we tuftten over het kleine kanaal naar de zee.

Kleine broccolitaartjes

Halverwege zaten we zonder benzine, want we hadden de reservevoorraad gebruikt om de Weff-straal te vernietigen. Maar we hadden roeiriemen en de zon scheen en het was heerlijk om gewoon op onze eigen planeet te zijn.

Ik probeerde alles aan Becky uit te leggen, maar na een poosje zei ze dat ik op moest houden. 'Ik kan het niet hebben, Jimbo. Ik ben moe en vies en ik heb honger. Ik heb bijna een week in de rimboe geleefd en mensen op hun kop geslagen. Ik wil normaal. Ik wil doorsnee. Ik wil eieren met spek en toast. Ik wil een lange, hete douche. Ik wil geen hoverscooters en intergalactische ruimteveren.'

En dus ging ze op de voorplecht zitten en Charlie zat tegenover me terwijl ik roeide en we vertelden elkaar onze verhalen, over hoe hij gepakt was en hoe Becky de achtervolging had ingezet op een gestolen motor.

En misschien had Bob-met-het-hawaïhemd wel

gelijk. Misschien was het best gaaf om op een planeet te zijn aan de andere kant van de Melkweg. En misschien was het nog wel gaver om te ontsnappen en weer thuis te komen. Maar het allergaafst was dat ik mijn beste vriend weer terug had.

'Hoe gaat het nu verder met mevrouw Pearce?' zei ik.

'Hoe bedoel je?' vroeg Charlie.

'Ze zei dat ze ons zou laten boeten. Je denkt toch niet dat ze ons gaat opsporen en dan vermoorden of zoiets?'

Charlie hield zijn hoofd scheef en staarde me aan. 'Het is een oudere dame zonder werk. De politie is naar haar op zoek. Ze heeft een staart. En geen navel. Als ik haar was, zou ik de heuvels in trekken en van noten en bessen gaan leven.'

We roeiden om beurten en na een paar uur bereikten we de haven van Elgol, met boven ons hoofd twee cirkelende meeuwen en in ons kielzog een vriendelijke zeeleeuw.

De rode Volvo stond langs de kant van de weg geparkeerd, een eindje bij de steiger vandaan.

'Zo,' zei Charlie handenwrijvend, 'gaan we hem stelen? We kunnen de motor vast wel aan de praat krijgen.'

'Ben je gek,' zei Becky. 'Ik heb die chauffeur al drie dagen geleden vastgebonden.' Ze viste de autosleutels uit de sporttas. 'Deze zaten in zijn zak.'

'Je bent een echte professional,' zei Charlie.

'Dank je,' zei Becky.

'Mag ik proberen te rijden?' zei Charlie.

'Spoor jij niet helemaal?' zei Becky. 'Ga achterin zitten.'

De Volvo was eigenlijk heel overzichtelijk na de Moto Guzzi. Om te beginnen had hij vier wielen, dus hij kon niet omvallen. De eerste kilometers schraapten we langs een paar stenen muren en hobbelden we een paar greppels in en uit, maar Becky kreeg de slag al snel te pakken.

De reis was schitterend. Al die dingen waar ik nooit eerder naar had gekeken, leken nu opzienbarend. Koeltorens. Bestelbusjes. Betonnen bruggen. Bij de aanblik van hoogspanningsmasten trok er een warme gloed door me heen.

Na drie uur stopten we in Gretna Green. Becky bestelde haar gebakken ei, ik nam pizza en Charlie nam zwarte koffie met drie appelflappen.

We hadden nog zes uur rijden voor de boeg waarin we ons verhaal konden voorbereiden. Maar we waren te moe. Binnen vier minuten vielen Charlie en ik in slaap en we werden pas weer wakker toen we bij de M25 waren. Gelukkig viel Becky maar twee keer in slaap en werd ze allebei de keren wakker getoeterd door een vrachtwagen toen ze de verkeerde rijbaan van de snelweg op reed.

We boden aan om Charlie eerst naar huis te brengen, maar hij dacht dat onze ouders hem niet zo snel zouden vermoorden.

Toen we de parkeerplaats op reden, keek ik omhoog naar het sjofele, afbladderende, verweerde blok en ik moet toegeven dat ik een beetje huilerig werd. Toen dacht ik weer aan de problemen die ons boven wachtten, en de moed zonk me in de schoenen.

Ik draaide me naar Becky. 'Wat gaan we ze vertellen?'

'We?' zei Becky. 'Ik denk toch dat dat jouw werk is, maat. Maar neem dit van me aan: leg niet te veel nadruk op het buitenaardse-wezens-met-harige-staarten-en-reizen-in-de-ruimte-aspect van het geheel.'

'Maak je op voor de strijd,' zei Charlie. 'Voor je het weet is het voorbij.'

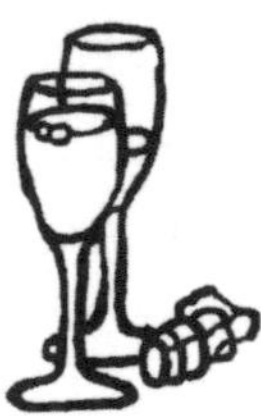

Becky deed de deur van de flat open en we stapten naar binnen. Mama was aan de telefoon. Ze liet hem vallen en verstijfde. Toen gilde ze. Het was behoorlijk eng. Ze gooide haar armen om mij en Becky heen en kneep en huilde en schreeuwde: 'Jullie leven nog! Jullie leven nog!'

Toen kwam papa de hal in en deed hetzelfde, maar zonder schreeuwen. Toen had iedereen ineens door dat Charlie aan de kant stond en er een beetje verloren uitzag, dus pakten we hem beet en deden een groepsknuffel. Tegen die tijd was iedereen aan het huilen, zelfs Charlie, en die had ik echt nog nooit eerder zien huilen.

Na een paar minuten werden we wat rustiger en stopten we met het geknuffel. Mama's gezicht werd donker en ze zei: 'Waar zijn jullie in godsnaam geweest?'

Op dat moment besefte ik dat we écht een verhaal hadden moeten bedenken. 'Nou...'

Er viel een akelige stilte.

'Jullie verdwijnen een hele week,' zei mama en haar blijdschap verdween snel. 'Jullie zeggen niet waar jullie heen gaan. We bellen en jullie bellen ons niet terug. Het was een hel, we hadden geen idee wat er met jullie gebeurd was.'

Toen kreeg Charlie een ingeving. Simpel en geniaal tegelijk, moet ik zeggen. 'We zijn ontvoerd.'

'Ontvoerd?' zei papa.

'Ontvoerd?' zei mama.

'Door meneer Kidd,' zei Charlie. 'En mevrouw Pearce. Van school.'

'Ze hebben ons meegenomen naar Schotland,' zei ik. 'Naar Loch Coruisk. Op het eiland Skye.'

'Wat...!?' zei mama. 'Wat...!? Wat...!? Wat...!?' Ze klonk een beetje als een kip.

'Dus,' zei papa. 'Wie heeft de flat gesloopt?'

'Wat?' zei Charlie.

Ik keek over de schouder van papa en zag de twee helften van de geknapte salontafel in de hoek van de woonkamer tegen de muur staan en toen kwam het allemaal terug. 'O, dat,' zei ik.

'We kwamen thuis,' zei papa. 'De ijskast was omgevallen. De bank lag ondersteboven. En een van de keukenstoelen lag op de parkeerplaats.'

'We wilden natuurlijk niet ontvoerd worden,' zei Becky alsof dat zonneklaar was. 'Dus we hebben hard gevochten.'

'Maar... Maar... Maar...' zei mama. Ze klonk nu als een iets andere kip. 'Maar waarom hebben ze jullie ontvoerd?'

'Ik heb geen flauw idee,' zei Charles opgewekt. 'Dat moeten jullie mevrouw Pearce en meneer Kidd zelf maar vragen. Misschien kunnen zij alles uitleggen.'

'Ik ga de politie bellen,' zei papa.

'Geweldig idee,' zei Charlie. 'Maar ik denk dat ik nu eerst naar huis moet.'

Becky en ik sprongen snel onder de douche, deden schone kleren aan en toen reden we allemaal naar Charlies huis.

We klopten op de deur en toen gebeurde er ongeveer hetzelfde als bij ons thuis. Het knuffelen, het huilen. Alleen gilde mevrouw Brooks nog veel harder dan mama.

Dr. Brooks belde de politie en tien minuten later arriveerden er twee brigadiers. Het was een hele geruststelling dat ze geen van beiden een koperen polsband droegen.

We disten ze het ontvoeringsverhaal op. Zoals Becky al had voorgesteld, sloegen we het stuk met de buitenaardse-wezens-met-harige-staarten-en-reizen-in-de-ruimte helemaal over. En het stuk over het stelen-van-een-motor-en-zonder-rijbewijs-rondrijden. En het ook stuk over de-aarde-van-de-ondergang-redden.

De politie vroeg ons of we slachtofferhulp wilden. Wij zeiden dat we liever een warme maaltijd wilden. Ze zeiden dat ze nog contact met ons op zouden nemen en gingen weer naar hun auto.

Toen kuierden Charlie, Becky en ik de keuken in en ontdekten dat papa en mevrouw Brooks een team hadden gevormd. Mevrouw Brooks draaide een kaassaus in elkaar voor over de gestoomde groenten, terwijl papa wat kleine broccolitaartjes maakte. Mevrouw Brooks was behoorlijk onder de indruk.

Tijdens het eten zei ze zelfs dat ze vaak hulp nodig

had bij haar grotere cateringklussen, dus als hij op zoek was naar werk... Papa zei dat hij zich zeer gevleid voelde, maar dat hij er wel even over na moest denken.

Bij het toetje van peren met chocoladevla vroeg mama aan Becky of ze Kraterhoofd nog ging bellen. Ze noemde hem trouwens Terry, want ze was in een goede stemming omdat we niet dood waren. En Becky zei dat ze het heerlijk zou vinden als ze dat liegende stinkdier nooit meer hoefde te zien. En dat was maar goed ook, want we hadden de Moto Guzzi in Schotland laten staan.

Toen klonk er een luide *plop!* en dokter Brooks verscheen met een fles champagne en een blad met zeven glazen. Hij vulde ze, we hieven ze, papa zei 'welkom thuis' en Charlie leegde zijn glas in één teug en liet toen een van de hardste boeren die ik in mijn hele leven heb gehoord.

Een bunker onder de Brecon Beacons

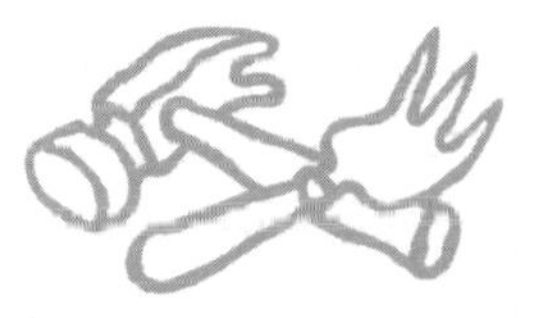

School was die maandagmorgen bijzonder geweldig. Om voor de hand liggende redenen. Als je directrice opstaat tijdens de dagopening om te vertellen dat je bent ontvoerd door twee leraren, maar dat je bent ontsnapt en dat de politie nu achter ze aan zit, ontstaat er een feeststemming die minstens een week blijft duren.

We waren nu officieel de coolste leerlingen aller tijden en volgens mij zou geen leraar het de komende maand in zijn hoofd halen om een van ons straf te geven.

Papa besloot het baantje bij Charlies moeder aan te nemen. Hij hield het drie hele weken uit. Langer niet. Ze was angstaanjagend, zei papa. Tijdens een bijzonder stressvolle trouwreceptie deed ze het weer: gooien met de broodplank. Het had maar een paar centimeter gescheeld of papa was bij de Spoedeisende Hulp terechtgekomen.

Gelukkig kreeg hij een beter betaalde en minder gevaarlijke baan bij het grand café in de stad, dus hij kon stoppen bij mevrouw Brooks zonder haar eeuwige toorn over zich af te roepen. Nog beter: de baan in het grand café was parttime, dus hij kon thuis ook nog beef wellington en gevulde muskaatpompoen voor ons maken.

De politie kwam niet meer terug. Ik zei tegen Charlie dat er een luchtje aan zat, maar hij zei dat ik een beetje relaxed moest doen. We mochten blij zijn dat we niet waren gearresteerd en ingespoten met waarheidsserum.

Dus ik probeerde te relaxen. En dat lukte best goed, tot een dag een paar weken later. We hadden pauze en waren vijf tegen vijf aan het voetballen. Ik keek naar de andere kant van de straat en zag een zwarte auto met getinte ramen voor de wasserette geparkeerd staan. Ik vertelde niks aan Charlie. Die zou toch zeggen dat ik paranoïde was.

De volgende dag zag ik hem weer, toen ik na het

eten op het balkon stond. Hij reed de parkeerplaats op, bleef een paar minuten met lopende motor staan en reed toen weer weg.

Dit keer vertelde ik het wel aan Charlie. Hij zei dat ik ze zag vliegen. Vervolgens hadden we een excursie met de klas naar het Wetenschapsmuseum en toen we de bus weer in stapten, stond de zwarte auto met de getinte ramen aan de stoeprand geparkeerd. Op dat moment ging ik door het lint. Mevrouw Hennessey had dik tien minuten nodig om me te kalmeren en zelfs Charlie zei dat ik misschien een punt had.

Een paar avonden later troffen we elkaar in het kleine speeltuintje tegenover de flats. We zaten naast elkaar op de schommels. Het werd al donker. De oranje straatlantaarns gingen een voor een aan en de verlichte ramen van de flat vormden samen een ruitpatroon.

We praatten over ons grote geheim.

Charlie zei: 'Zou jij het niet aan iemand willen vertellen? Ik bedoel: we zouden rijk en beroemd kunnen zijn, ondervraagd door vooraanstaande wetenschappers. Misschien zouden we wel in de geschiedenisboeken terechtkomen.' Hij aarzelde. 'Maar zo zou het natuurlijk niet gaan. Want niemand zou ons geloven.

Ze zouden ons waarschijnlijk in een inrichting stoppen.'

'Maar niet als we bewijs hadden,' zei ik.

'Nee,' zei Charlie. 'Niet als we bewijs hadden.'

'Zoiets dus,' zei ik. Ik groef in de zak van mijn spijkerbroek en trok de zwevende balletjes eruit.

'Jee,' zei Charlie. 'Die kan ik me nog herinneren. Werken ze nog?'

Ik plaatste er twee in de lucht en liet ze los. Daar hingen ze, volstrekt bewegingloos. 'Die zijn voor jou,' zei ik. 'Ik heb nog drie andere. Ze zijn, zeg maar, een souvenir.'

'Cool,' zei Charlie. Hij veegde de ballen uit de lucht en stopte ze in zijn zak.

Op dat moment zag ik de gedaante uit de schaduwen onder de bomen tevoorschijn komen. Ik bevroor. 'Charlie...?'

'O schijt,' zei hij. 'Dit is niet goed, toch?'

Ik wilde van de schommel af springen en wegrennen, maar mijn benen gehoorzaamden niet meer.

De gedaante kwam dichterbij. 'Hallo, James. Hallo, Charles.'

Het was mevrouw Pearce. Ze droeg kleren die ze waarschijnlijk in een afvalcontainer had gevonden. Een zwarte plastic regenjas met maar één mouw. Sandalen. Een fluorescerende, oranje werkmansbroek. Ze zag eruit alsof ze haar haar in motorolie had gewassen.

'Jullie hadden me zeker wel verwacht?'

'Nee,' zei Charlie met een bibberige stem. 'Nou, Jimbo eigenlijk wel. Maar ik niet.'

'Jullie hebben mijn leven kapotgemaakt. Jullie hebben alles kapotgemaakt,' zei ze. 'En weet je?'

'Wat?' vroeg Charlie.

'Ik heb helemaal niks meer te verliezen.'

'Echt?' zei Charlie.

Ik kon nu zien dat mevrouw Pearce twee voorwerpen vasthield. In haar linkerhand had ze een grote hamer. In haar rechterhand had ze een klein, puntig tuinharkje.

'Ho even,' zei Charlie. 'Ik denk dat we hier eerst over moeten praten. Redelijk. Als volwassen mensen.'

'Hou je mond,' zei mevrouw Pearce. 'Ik ga je vermoorden.'

Ik keek over haar schouder. De zwarte auto met de getinte ramen was voor de flat geparkeerd. De deur aan de bestuurderskant stond open.

'En ik ga daar zo enorm van genieten,' zei mevrouw Pearce.

Er bewoog iets in de duisternis achter haar. Er kwamen nog twee gedaantes onder de bomen vandaan. Hun kleren waren donker en hun gezichten in de schaduw. Maar ik kon zien dat het mannen waren. Grote mannen.

Mevrouw Pearce deed nog een paar stappen en hief de hamer boven haar hoofd. Ik schreeuwde, viel achterover van de schommel af en klapte met mijn hoofd op de rubber tegels. Mevrouw Pearce stormde op me af. Toen was er een lichtflits, er klonk een luide *knal!* en ze zakte in elkaar, boven op me. De hamer miste mijn hoofd op een haartje.

Ik duwde haar van me af en krabbelde overeind. Er stak een gevederd pijltje uit het achterwerk van mevrouw Pearce, die 'nnnnnnrrrrrgggg' zei.

'Holy Moly,' zei Charlie.

De twee mannen kwamen op ons afgelopen. Ze hadden pistolen. Het leek een goed plan om niet weg te rennen. De man links bukte zich, rukte het pijltje uit het achterwerk van mevrouw Pearce, rolde haar om en deed haar een zwarte plastic muilkorf om. De man rechts liep naar ons toe en zei: 'Jimbo... Charlie...'

'Wie zijn jullie?' vroeg Charlie.

'Wij zijn de goeien,' zei de man. Hij had een pak aan, maar hij had ook een Action Man-litteken over zijn wang en zijn hoofd was geschoren alsof hij net van de een of andere oorlog terug was.

Zijn collega hees mevrouw Pearce met gemak op zijn schouder en droeg haar naar het hek van het park.

'Wat gebeurt hier?' vroeg Charlie.

'We dachten dat we het best bij jullie in de buurt konden blijven. Ze zou vroeg of laat wel een keer opduiken,' zei de man. 'Jullie waren lokaas.'

'Lokaas?' zei ik.

'Er lopen er nog steeds een paar rond in het Peak

District, maar die sporen we in de komende dagen ook wel op. Ik denk niet dat jullie je nog veel zorgen hoeven te maken.'

Noch Charlie, noch ik wist iets te zeggen.

'Nou,' zei de man, 'we willen jullie tweeën nog graag bedanken. Jullie waren ons voor. Goed werk. Jullie verdienen een medaille. Maar medailles betekenen publiciteit. En in ons departement houden we niet van publiciteit.'

'Welk departement is dat?'

De man keek Charlie aan alsof hij heel, heel dom was.

'Dus, eh...' zei Charlie. 'Wat gaan jullie met haar doen? Mevrouw Pearce, bedoel ik.'

'Zij gaat naar een ongebruikte nucleaire bunker, een paar honderd meter onder de Brecon Beacons.' De man was even stil. 'Maar misschien lieg ik wel.' Hij stak zijn hand naar me uit. 'Zwevende ballen graag.'

'Wat?'

'Zwevende ballen.'

Met tegenzin stak ik mijn hand in mijn zak, haalde mijn drie ballen eruit en legde ze in zijn hand. Hij keek naar Charlie. 'Die van jou ook.'

Aan de andere kant van de parkeerplaats zag ik hoe zijn collega het bewusteloze lichaam van mevrouw Pearce in de kofferbak kwakte, de klep dichtsmeet en toen achter het stuur ging zitten.

Charlie overhandigde de laatste twee ballen. De man haalde zijn hand weg en liet de vijf ballen een moment bewegingloos hangen. 'O, ik ben gek op die dingen.' Toen veegde hij ze uit de lucht en liet ze in de zak van zijn jasje glijden.

'Wat gaan jullie nu doen?' vroeg Charlie nerveus. 'Gaan jullie onze hersens leegmaken? Je weet wel, zodat we ons niks meer herinneren.'

'Jij hebt te veel films gekeken, Charlie. Nee. Het is veel eenvoudiger. Als je ook maar iets zegt, tegen wie dan ook, sporen we je op en vermoorden je.'

'Juist,' zei Charlie.

'Ik vond het leuk om jullie te ontmoeten,' zei de man. 'Fijne avond verder.'

Hij draaide zich om en liep door het hek aan de rand van het park. Hij stapte in de zwarte auto met de getinte ramen, sloeg de deur dicht en reed de nacht in.

Het wonder-
baarlijke
voorval met
de hond in
de nacht
Mark Haddon
Bekroond met de Zilveren Zoen

Voor iedereen vanaf 14 jaar:
Het wonderbaarlijke voorval met de hond in de nacht

Mark Haddon schetst op ontroerende en grappige wijze de wereld van een autistische jongen. Een onvergetelijk boek voor jongeren en volwassenen dat internationaal veelvuldig is bekroond.

'Een onvergetelijk boek, spannend, ontroerend en mooi van taal: een Zilveren Zoen met een gouden randje.'
Juryrapport Zoenjury

'Hoe oud je ook bent als je dit boek leest, vergeten doe je het nooit.'
Judith Eiselin in *NRC Handelsblad*

'Een meeslepend, glashelder geschreven verhaal [...] Een boek dat een groot publiek verdient.'
de Volkskrant